先端技術と米中戦略競争

戦略競争

宇宙、AI、
極超音速兵器
が変える戦い方

Satoru Fuse

布施 哲

はじめに

● 新型コロナウイルス禍でも続く中国のシグナリング

2020年4月2日、南シナ海の西沙諸島。

世界が新型コロナウイルスの猛威にあえぐ中、中国海警局の船がベトナム漁船に体当たりした。

ベトナム漁船は沈没。漁民は海警船に引き上げられた後、別のベトナム漁船に引き渡された。

同じ頃、同じく南シナ海は中国が建設した人工島ファイアリークロス礁。

米国をはじめ国際社会の批判をよそに人工島の軍事基地化を着々と進めてきた中国だが、この動きをさらに進めるかのように「軍用特殊機」(米国務省)を着陸させ、新たな「研究施設」を建設して、人工島の軍事拠点化の既成事実を積み上げた。

米国務省はこの2つの動きについて「世界が新型コロナウイルスの大規模感染と戦う中、各国の弱みにつけこんでいる」と批判した。

それだけではない。中国はかねてより台湾を軍事力の行使も辞さない核心的利益と位置付け、台湾周辺でも軍事演習を強化している。2月9日、10日に空軍が夜間飛行訓練などを行ったのを皮切りに、3月16日にはJ-11戦闘機とKJ-500早期警戒管制機による夜間飛行訓練がそれぞれ台湾近海で行われた。

中国の『環球時報』(4月10日付)は、これらの訓練が「台湾独立の企てを牽制する」ためのものであり、かつ「コロナの爆発的感染にもかかわらず行われた」と誇示している。

軍を動かすことで相手国にシグナリングする典型例だ。人民解放軍の作戦能力は新型コロナの影響を受けることなく維持されている、というのが強調点だろう。こうした力の誇示は台湾だけでなく、その背後に控える米国に向けたものだ。

軍事力を使ったシグナリングで米中が最も好んで使う手段が空母だ。4月10日、空母「遼寧」など合計6隻の中国海軍の空母機動部隊が、沖縄本島と宮古島の間を西太平洋へ

と抜けた後、バシー海峡を経由して南シナ海で活動していることを中国の新華社が報道。

これは明らかに、アジア太平洋で空母の即応性が低下している米海軍との違いを誇示したものだ。

● 低下した米海軍の即応性

米原子力空母「セオドア・ルーズベルト」は、ベトナム寄港後に艦内で新型コロナウイルスの感染者が発生。その後、グアムへの緊急入港を余儀なくされた。原子力機関を担当する900人程度を残して、4000人近い乗組員が下船して隔離措置に入った。

これにより「セオドア・ルーズベルト」は運用不可能となり、事実上の「Mission-Killed」(作戦遂行不可能)となった。作戦行動ができなくなり、戦力としてカウントできなくなった観点では、撃沈と同じ効果を持つと言ってもいいだろう。

空母艦長が感染予防策を通常の指揮系統以外のルートで直訴して更迭され、その更迭への乗組員の反発を招き、更迭した側の海軍長官代行も辞任するという尾ひれまでついている。

見えないウイルスの脅威は、アジア太平洋の安全保障を担う要である米海軍の即応性を著しく低下させ、米海軍内の深刻なマネージメントの問題をも浮き彫りにしたのであった。

もちろん、米海軍もコロナ禍に手をこまぬいているわけではない。4月10日にはイージス駆逐艦1隻とEP-3電子偵察機、RC-135U信号情報収集機が台湾近海に展開して中国を牽制しているが、戦力投射の要である空母打撃群の組織的運用がままならない中では、迫力不足、戦力不足は否めない。限られたリソースを使って現時点ででき得る最大限の対抗策を取ったとも言えるが、米軍の運用能力の低下は誰の目にも明らかだろう。

世界の混乱、米軍の混迷の最中に比較優位を誇示するかのような一連の人民解放軍の動きは、習近平指導部による国内への引き締めという側面があると同時に、世界がウイルスと格闘する困難の真っ只中であろうとも、中国は自国の利益の増進、対外主張の手を緩めない、という意思表明なのだろう。

いや、むしろ混乱の中にこそ、国益拡大の好機がある、という姿勢なのかもしれない。およそ日本人一般の感覚を大きく超えるロジックだが、残念ながらこれが最大の隣国の

論理であり、これが日本が置かれている戦略環境の厳しい現実だ。

● 広がる中国への不信感とデカップリング論

　一方、米国内ではコロナ危機を契機に中国に対する不信感が確実に広がっている。その不信感は、中国によるコロナへの対応の初動に端を発する。

　それは、2020年4月5付の『USA Today』紙に掲載された、痛烈に中国を批判する論説に端的に表れている。

　「武漢におけるパンデミックから学べる教訓は明白だ。中国がその態度を改めるまで、文明世界から隔離すべきだ。中国が専売特許である隠蔽体質、無能さ、そして粗暴な態度でこの感染拡大に対応したせいで、我々は世界中で死と経済的荒廃に直面している。中国が文明国家であったならば、この感染拡大は早い段階で封じ込められたはずだ」

　こうした声は議会にも伝播しており、共和党議員が、中国の初動対応を検証する調査を求める決議案を提出する動きを見せている。

　さらに、全米各地では中国政府を相手取った損害賠償を求める集団訴訟の動きも出ている。ネバダ州では中小企業の代表が、フロリダ州では個人と企業が、テキサス州では写真サービスを提供する企業が、訴訟を提起している。

　また、米国政府が大量の医療用マスクを中国から緊急輸入する事態になると、共和党の保守系議員の間でマスクや薬といった重要な医薬品の多くを中国に依存していることへの警戒感が高まった。「中国は米国が必要とする医薬品を人質にとっている」として、主要医薬品の生産を中国から米国内に移すための法案を提出する動きが出てきたのである。

　「医薬品など、国民の命を左右する重要物資のサプライチェーンを中国から分離させなければならない」という、いわゆるデカップリング論だ。それまでは5GといったIT関連やAI（人工知能）といったハイテク関連に限られていたデカップリング論だったが、コロナ問題をきっかけに医薬品という新たな分野にも広がっていった。

コロナ問題を米国との協力、関係改善の好機とすべきところを、逆に米国内の対中不信をより強めてしまったことは、中国外交の失策だと言える（米国との協力を志向できる政治的余裕を習近平国家主席が持ち得ていないという可能性もある）。

もともとデカップリング論は、米中貿易戦争をきっかけに米国内の対中強硬派から湧き起こった。それに対して「経済が相互依存している米中がデカップリングをすることは合理性に反するし、実現しない」というのが、米国の経済セクターや中国関与派からの反論だった。

しかし、中国との経済的リンクを断ち切るデカップリングは、着実に進行しつつある。

ナイキやアップルなどの製造業の一部が、すでに中国へのサプライチェーンの依存度を下げる動きを見せている。また、ファーウェイ（Huawei）製のテレコム製品を他社製品に置き換えるための費用として、米国の地方電話会社に対する補助金を10億ドル分出す法律が、米議会で可決されている。

経済相互依存関係がゆっくりと、しかし確実に分離されるモメンタムが働きつつある米中。

離間の慣性が働く米中はもはや、新型コロナウイルスの世界的感染拡大というグローバルな課題においても、一致して連携・協力するどころか、感染拡大をきっかけにさらに相互不信と離間の動きを加速させようとしている。

コロナ問題での米中協力はその出だしから、実現が疑問視されていたと言っていい。中国・武漢での感染拡大が明確になった初期段階から、米中のやり取りは到底、連携や協力の余地などない険悪なものだった。

WHOを通じて専門家の派遣などの支援の提供を申し出た米国政府に対し、中国政府は明確な回答を出さず、これをのらりくらりかわし続けた。ワクチン開発や米国内での感染防止には、中国保健当局が持つウイルスに関する情報が死活的に重要となるが、米政府が求めた情報提供についても中国は応じず、アザー保健長官は強い不快感を示していた。

● 米中の戦略競争と日本

　自国から始まったパンデミックで世界が苦しむ中においても、南シナ海、台湾などでの自国の利益の拡大の手を緩めない中国。パンデミック対応に追われながら、対中不信を深め、中国依存からの脱却を進めようとする米国。そして、ウイルスが猛威を振るう中でも続く、米中の軍事的さや当て。

　こうした戦略競争はパンデミック以後、トランプ以後も、マラソンのように続いていくだろう。

　もはや米中両国の間を支配しているのは協力のベースとなる信頼関係ではなく、競争のベースとなる相互不信であり、拭いがたい警戒感だ。

　そこに広がる世界は「話し合えば解決できる」などという生易しい論理の介在を一切許さない、あくなき国益拡大のレースだ。互いの不信感が協力を難しくし、「相手に出し抜かれるのでは？」との警戒感が競争を果てしないものにする。

　唯一の同盟国の米国と、最大の貿易相手国の中国の間の激しい競争の波は、確実に日本も揺らしていくだろう。

● 本書のアプローチ方法

　本書は、そうした米中戦略競争の実相と、日本へのヒントを探るべく、米政府機関の報告書やシンクタンクの分析レポートといった公開文書から立体的に読み解いていく。

　文書化されたものはどうしてもタイムラグが生じるため、ワシントンDCで日々開かれる安全保障やテクノロジーをテーマにしたシンポジウムや展示会での最新の議論も、できるだけすくい上げる努力をした。

　また、米中関係に関与し、観察している日米の軍、外交当局、情報機関、シンクタンクにいる実務家たちとの対話から得た多くの示唆も、本書の枠組みを形作っている。

2020年5月

布施　哲

先端技術と米中戦略競争 目次

Chapter 5 極超音速兵器 (Hypersonic Weapon)　　191

Chapter 6 終章　　227

始まった
米中戦略競争

▎戦略的利益を侵害される危機感

「中国は国際社会に対する戦略的脅威となりつつある。地域覇権と世界的な影響力拡
大を狙っている」 　　　　　　　　　　　　　　　（マーク・ミレイ統合参謀本部議長）

「中国は2049年までに世界トップクラスの軍事大国となることを目指している。その
ためにサイバー攻撃などありとあらゆる手段を使って技術を手に入れている。盗まれ
た技術は小国の囲い込みに使われると同時に米国の競争力を失わせている」

　　　　　　　　　　　　　　　　　　　　　　　　（マーク・エスパー国防長官）

　並みいる下院議員たちを前に中国との戦略競争の現実を明確に語った米軍の文民、制
服の両トップ。2020年2月の下院軍事委員会の場のことだ。

● 今起きている競争

　今、米国は中国との戦略的競争の真っただ中にある。ハイテク覇権争い、「新たな冷戦」
とも呼ばれる両国の競争は、どう呼ぶのであれ、今後20年、30年の単位で続く長期的競
争になるかもしれない。そして、この競争に勝利した方が戦略的な優位を占めることに
なる。今、ワシントンではそう信じられている。

　米国を戦略的競争関係へと衝き動かしているドライビングフォースは主に2つある。1
つは中国が軍民融合というやり方で米国の利益を侵害し続けてきたことへの怒り、そし
て次は米国の戦略的な利益をも今後、侵害されるのではないか、という危機感だ。

● 中国によって奪われた利益

　中国によって「奪われた利益」とは、米国企業が持つ技術情報といった知的財産を指
す。米通商代表部（USTR）の「通商法301条報告書」によれば、中国はこれまでに米国
企業に対する技術の移転強要や米ベンチャー等への直接投資、そしてサイバー攻撃など
を通じて、米国企業が持つ知的財産の窃取、取得を継続的に行ってきたという。

　その額は、サイバー攻撃によるものだけで実に年間6億ドルとも言われる。そのほかの
技術移転の強要といった不公正な貿易慣行なども含めれば、中国による知的財産侵害行

為の被害額は年間で3000億ドルから6000億ドルとも言われる（2020年2月のCSIS*イベントでのウイリアム・エヴァニアFBI対諜報センター長）。

　仮に中国がこうした侵害行為を控え、知的財産のルールを尊重していれば米経済は210万人の雇用と1070億ドルの売り上げを得ることができたはずだという、米国際貿易委員会（USITC*）による試算もある。

　いかに米国がこれまで中国に「奪われた利益」の規模が大きいか、そして、それに対する米国の積年の怒りが想像できるだろう。前述の通商法301条報告書を読めば、なぜ米国は中国に怒り、制裁関税を発動して貿易戦争に突入したか、すべてが説明されている。

● 通商法301条報告書

　この報告書によれば、米企業が持つ特許や技術情報といった、米国企業によるイノベーションに関する知的財産は米国経済の根幹を支えている。知的財産からの収益に依存する米企業は米国のGDPの39％を占め、米国の対外輸出の52％を占めるという。

　それらの企業は全米で4550万人の雇用に貢献しており、「米国企業と労働者の生活の質は、かなりの部分、知的財産型の産業に負うところが大」だとも指摘している。

　不当な知的財産の侵害は、中国企業との公平な競争をできなくするばかりか、本来、得られる収益を得られなくし、ひいてはその収益を原資とする、新たなイノベーションを生み出す研究開発への投資も阻害されることにつながる。イノベーションが生み出す知的財産に依存する米国経済にとって知的財産の侵害行為は、国家の存立に関わる重大な問題だということになる。

中国による知的財産侵害の本丸：サイバー攻撃

　中国による知的財産の侵害行為の主な類型には技術の移転強要や合弁企業の強要といった中国市場における米国企業の差別的扱い及び非関税障壁などがあるが、その中でもとりわけサイバー攻撃による技術情報の窃取は米国に巨額の損害を与えてきた。

---

* CSIS：Center for Strategic and International Studies、戦略国際問題研究所
* USITC：United States International Trade Commission、米国際貿易委員会

米通信会社ベライゾン・コミュニケーションズ*が2013年に出した「データ漏洩／侵害調査報告書*」が、国家主体によるサイバー攻撃のスパイ行為の実に95%が中国由来だと指摘するくらい、中国はサイバー攻撃を多用してきた。

米シンクタンクCSISが2018年3月に発表した分析では年間の被害額は2000億ドルから3000億ドルと見積もられ、累積被害額は6兆ドル（！）にのぼるとされる。しかもこの額はサイバー攻撃によるものだけで、「ヒューミント*」と呼ばれる人間によるスパイ活動による被害は含まないという。

米最大の諜報機関である国家安全保障局（NSA*）からリークされたスノーデン文書は、2009年から2014年の間に米企業600社（！）が中国のサイバー攻撃の被害に遭っていたとしている。

技術を扱うほぼすべての米企業がこれまでに被害に遭っているとされ、FBI幹部が「米国企業は2種類に分けられる。中国のサイバー攻撃を受けた会社と、攻撃に気づいていない会社だ」と指摘するほどだ。

● オバマ政権の「謎」

オバマ政権の発足以来、ほぼ一貫して続いてきた中国のサイバー攻撃によって、これだけの被害を出していながら、これまで中国に対する制裁の発動などの報復措置が取られていないことは、驚きに値する。

米司法省が2011年から2018年の間に取り扱った経済スパイのうちおよそ9割が中国によるものだとされるというほどの侵害行為を受けながら、トランプ政権が制裁関税を発動する2018年7月まで、米国が中国のサイバー攻撃を抑止するための対抗措置を実質的にとらなかったことは、ある種の政治的謎だと言ってもいいかもしれない。

単に「当時、米国の産業界や政治家たちが中国市場の経済的魅力に眼がくらんでいたから」という通説だけでは説明できない何かがあると思ってしまう。アカデミックにもジャーナリスティックにもその原因を追究するに値するテーマではないだろうか。

＊Verizon Communications Inc.
＊データ漏洩／侵害調査報告書（Data Breach Investigation Report）
＊ヒューミント（HUMINT ← Human intelligence）
＊NSA：National Security Agency、国家安全保障局

● 唯一の例外

オバマ政権が唯一公式に中国のサイバー攻撃を非難した例が1つだけある。

2014年5月、米司法省は5人の人民解放軍将校を6つの米企業へのサイバー攻撃に関与した罪で起訴したと突然、発表して世界を驚かせた。被害を受けたのは、原子力部門をかつて持っていた米大手電機メーカーのウェスティングハウス社、ソーラーパネルを生産していたソーラーワールド社、米鉄鋼大手のUSスティール社などだ。

この訴追は再三にわたるサイバー攻撃中止の求めに応じない中国政府に業を煮やしたオバマ政権がとった窮余の策でもあった。この5人が拘束されて米国の法廷に立つことは考えられなかったが、実名と所属などを明らかにすることで犯行に及んだハッカーたちに恥をかかせ、将来の犯行を抑止しようという狙いがあった。

この5人の将校たちはAPT1＊とも呼ばれるグループで、サイバーセキュリティのマンディアント（Mandiant）社は、APT1が少なくともこれまでに141の企業、団体から情報を盗み、そのうちの115が主要20分野に属する米国企業だったとしている。

被害に遭った米企業の多くは、IT関連、航空宇宙、衛星や通信などの科学技術関連が占めている。これは後述する、中国政府が戦略的に重要な先端技術と位置づけている7つの分野のうちの4つに該当するとマンディアント社は分析する。

● ソーラーワールドの事例

ハッキングで盗まれた情報は中国国営企業に供与され、間接的に米企業は大打撃を受けたとされる。その最たる例としてUSTRの通商法301条報告書が挙げているのがソーラーパネルを生産していたソーラーワールド社（以下、SW社）の例だ。

USTR報告書によれば、SW社は6000万ドルの開発予算と6億ドルの生産設備投資を費やして、最新のソーラーセル「PERC」（Passive Emitter Rear Contact）を8年かけて開発。ソーラーパネル市場をリードしていた。

しかし、2012年5月から9月にかけてAPT1と呼ばれる人民解放軍配下のハッカーグループから13回にわたるハッキングを受けてPERC技術に関する情報が盗まれると、なぜかその後、中国のライバル社の追い上げが鮮明となっていったという。

2014年にはライバル社の中国JAソーラー社がPERCパネルの大量生産開始を発表。

＊ APT（Advanced Persistent Threat、持続的標的型攻撃）はサイバー攻撃の一種。「APT＋番号」の組織名で呼ばれる。

翌年には別のライバルの中国のトリナ社もPERCの市場投入を発表した。

　USTR報告書は、ハッキングによってSW社の情報が中国企業に流れたことで、中国企業は開発にかかる時間、経済コストを省いて低コストで市場に参入、その後市場を席巻したと見ている。当事者であるSW社は最終的にサイバー攻撃による被害額は合計1億2000万ドルに及んだと主張している。

　ハッキングが行われた2012年以降、30社近いソーラー関連の米企業が倒産する一方、中国企業のシェアは2005年に7％だったものが2012年には61％になっている。現在、中国の太陽光発電分野が2500万人の雇用を誇るのに対し、米国のそれは26万人となっている。

● 経済諜報型（産業スパイ型）サイバー攻撃
　米国が問題視しているサイバー攻撃とは、国家（軍）が米企業をハッキングして情報を盗み、その情報を中国企業に提供するというものだ。これは「経済諜報型」（＝産業スパイ型）サイバー攻撃と呼ばれ、国家主体同士による伝統的な「諜報型」のサイバー攻撃とは区別される。

　後者の国家主体同士のハッキングは日常的にサイバー空間で行われている情報収集活動（あるいは諜報活動）であり、米中ともに「お互い様」と言ってもいいものだ。

　だが「産業スパイ型」サイバー攻撃は、盗んだ情報を政府が自国の企業に提供することで経済目的に使われてしまうことが多いのが問題だ。「諜報型」サイバー攻撃においては得られた諜報情報は国益のために使われることはあっても特定の企業に提供される、あるいは特定の米企業の利益のために活用されることはない。少なくともそれが米国政府の公式見解だ。

　サイバー技術、人員、予算といった豊富なリソースを誇る国家が企業を狙う「経済諜報型」では、狙われた側の企業の方は国家が相手ではひとたまりもない。
　情報機関同士、国家同士の伝統的な「諜報型」サイバー攻撃だけでなく「経済諜報型」サイバー攻撃を認めてしまえば、特定企業の売り上げのために国家がサイバー戦争をし合うことになり、収拾がつかなくなってしまう。

● 被害に敏感ではなかったアメリカ

実は、被害を受ける側の米国企業は当初、こうした「経済諜報」型サイバー攻撃による被害に敏感に反応していたとは言い難い対応だった。

その理由は、中国市場がもたらすであろう利益への期待感が大きかったこと、また中国当局による報復を懸念していたからであった。グーグル社だけが、自社のデータベースに侵入されたことを受けて、一時、真剣に報復措置としてハッキングすることを検討したと言われている。

● サイバー休戦

オバマ政権の2期目になると、それまで中国に対する批判を控えてきた米産業界もようやくサイバー攻撃への非難の声を挙げ、米政府に対応を求め始めた。産業界の声を受けてオバマ大統領は2015年9月に中国の習近平国家主席との首脳会談でこの問題を取り上げ、中国側と「経済諜報型」サイバー攻撃を禁止する「サイバー休戦」で合意した。

しかし、その後もサイバー攻撃は続き、結局「サイバー合意」は反故にされた状態が続いている。「サイバー合意」後も止まらないサイバー攻撃に対して米議会や情報機関の一部からは「ハッキング返し」といった攻撃的サイバー戦で対抗すべきとの声も挙がったが、オバマ政権は最後まで抑制的姿勢を崩すことはなかった。

オバマ政権は北朝鮮によるサイバー攻撃に対しては制裁の発動で応じたが、より強力な相手である中国には制裁の発動などに出ることはなかった。北朝鮮問題や気候変動問題などでの成果作りを目指すオバマ政権は、中国の協力を必要としたからであった。

そうした政治的理由以外にも、中国とサイバー問題で対決をできない理由はあった。例えばサイバー攻撃にサイバー攻撃で反撃した場合、際限のない報復合戦となり、いつかは被害がインフラや金融システムなどリアルな物理空間に飛び火することが懸念された。

加えて、対抗措置をとればその理由や経緯の詳細を議会などに開示する説明責任が発生することも忌避された。「こちらの能力を明らかにしてしまう」という懸念が情報機関を中心に根強くあったからだ。

▎トランプ政権の反撃

その後、2017年1月にトランプ政権が発足すると、それまでの抑制的な姿勢は様変わりする。それまで蓄積されていた怒りが爆発したかのように、ホワイトハウス、軍、情報機関、司法省、FBI、USTR、議会が一体となって「政府一体となった巻き返し」(ジョージ・ワシントン大学のロバート・サッター教授) とも言える対中強硬路線が形成されていった。

まず、その皮切りとしてトランプ大統領は同年8月に米通商代表部USTRに対して中国の知的財産侵害問題の調査を命じている。

12月には国家安全保障戦略 (NSS*) が発表され、中国のサイバー攻撃による知的財産の侵害を批判すると共に、中国を「現状変更勢力」(Revisionist Power) と呼んだ。これは、過去の歴代政権がとってきた、中国を国際社会に迎え入れるために関与を続ける政策からの事実上の転換を宣言するものとなった。

このNSSを号砲に、各省庁からは対中強硬路線の政策が次々と打ち出されていった。

● 対中強硬路線政策

まず、2018年3月に米通商代表部 (USTR) が、中国による知的財産の侵害行為を強く批判する「通商法301条報告書」を発表すると、7月にはその報告書を根拠に対中制裁関税第1弾が発動された。

続けて8月には、サイバー攻撃への報復としてのサイバー攻撃を制約するオバマ政権時代の大統領命令「PPD-20」*の破棄が決定。米国に対するサイバー攻撃を阻止するため、相手国のネットワークへの侵入を行う攻撃的サイバー戦の実施要領を定めた大統領覚書「NSPM-13」*にトランプ大統領が署名したと報じられた。

＊NSS：National Security Strategy、国家安全保障戦略
＊PPD：Presidential Policy Directive、大統領命令
＊NSPM：National Security Presidential Memorandum、国家安全保障行動覚書

　先端技術など機微な分野への外国企業による投資を規制する、財務省傘下の対米外国投資委員会（CFIUS＊）の権限も強化された。2017年9月には中国政府との関係が取り沙汰されていた投資会社による米半導体大手の買収が阻止されている。

　法執行機関も負けてはいない。司法省は2018年11月にチャイナ・イニシアチブ（China Initiatives）と名づけた、中国による経済諜報の摘発強化を打ち出し、2018年だけで5件の中国による産業スパイ事案を検挙している。

　国防総省は議会と連携して、2019会計年度国防権限法において中国IT大手のファーウェイ社（以下Huawei）とZTE社の製品およびサービスの利用禁止ならびに、両社の製品を使っている企業と米政府機関が契約を結ぶことを禁止した。これは事実上、両社を米政府機関による新規調達から締め出すことを意味した（ただ、既に納入済み、使用中の製品が多数あるほか、監視カメラやPCなど、セキュリティ上の懸念がある他の中国企業製品が無数に使用、放置されている問題は残る）。

　これに関連して、次世代通信規格5Gネットワークの国内整備に中国製品が入ることを懸念した米連邦通信委員会（FCC＊）は、2018年4月に国内通信網においてHuaweiとZTEの製品の調達を禁止することを決定した。

● 政府を挙げたアプローチ

　こうした一連の対中強硬路線は党派を超えて一定の支持を得ているもので、実は野党・民主党にも賛同者は多い。トランプ嫌いで鳴らす民主党関係者からも「トランプの唯一の功績は中国の所業を明らかにしたことだ」という声が聞こえるほどだ。

　「政府を挙げたアプローチ」（Whole of Government）と呼ばれる政府一体となった取り組みの特徴は、軍事、投資、通信、法執行、外交などあらゆる政策手段を総動員していること、そして産業スパイやサイバー攻撃といった過去の侵害行為の摘発と、将来の侵害行為の、それぞれへの予防策が打ち出されている点にある。

＊CFIUS：Committee on Foreign Investment in the United States、対米外国投資委員会
＊FCC：Federal Communications Commission、連邦通信委員会

オバマ政権の8年間、そして6兆ドルという巨額の損害額をもってして、ようやく米国は中国の知的財産侵害がもたらした被害に目覚めた結果と言えるかもしれない。この米国の動きを早いと見るのか、遅きに失したと見るのか、意見が分かれるところだろう。

他方で、緒戦でやられても目覚めた後の動きは眼を見張るものがあるのが米国という国の凄さだ。決意した後に繰り出す米国の対応策はスピード感、スケールで優るだけでなく、一見仕事が粗そうに見える米国だが意外にも創意工夫もある（米国の技術面でのキャッチアップにおける創意工夫については、次章の対艦ミサイルの項目で詳述）。

● アメリカの信念と中国に対する怒り

そうした米国の目覚ましい動きを支えているのは「どんな問題も技術で解決できる」という強い信念だ。そうした信念と、技術の開発や改良による課題解決を目指す姿勢をもってして米国を世界における技術大国、イノベーション大国とさせている。本書はそれを軍事技術という切り口で考えてみたい。

これまでも触れてきた通り、技術を媒介にした米中による戦略競争に米国を駆り立てている要因の1つが、これまでの中国による知的財産の侵害行為に対する怒りだ。

民主党の上院議員の政策補佐官を長く務めたある関係者は、中国に対する怒りがいかに米国政府内で広まっているかを示す一例を教えてくれた。

その関係者いわく、商務省、司法省、エネルギー省といった省庁に長年勤務している部長（Director）クラスのプロパー官僚たちの中国に対する怒りは想像以上だという。「彼らは『中国はずるく、アンフェアで嘘をつく。トランプ大統領がそれをしっかり取り上げているのは素晴らしい』と言っている」と指摘する。

トランプ政権下の国防総省の現職幹部もストレートな表現でこう公言する。

「皆さん、ご存じかどうか知らないが、我々はこの10年間、中国と戦争を繰り広げてきた。そろそろ眼を覚まさないといけない」

アラン・シャファー国防次官補（調達担当）は、2019年11月に国防産業関係者向けの講演でこう言い放った。

「知的財産は非常に貴重な財産だ。中国はフェアなゲームをしたりはしない。みんな、そろそろ怒ったほうがいい」

● 国防総省の視点

なぜ国防総省の幹部までもが、民間企業の知的財産に対する侵害行為に関心を示すのだろうか？

米国企業の技術が中国の手に渡るのは、国防総省にとっても実は他人事ではない。国防総省の視線は、盗まれた米企業の技術が「デュアルユース」つまり軍民両用である点、そして軍民両用の技術がどこに使われているか、という点に注がれている。

▌軍民融合によって「奪われるかもしれない利益」

米国企業の虎の子とも言える技術情報は、実は中国企業の経済利益だけに使われているわけではない。少なくとも米国はそう見ている。中国は「軍民融合」とも言えるアプローチのもと、民生技術の改良だけでなく軍事技術の強化と戦略的優位性獲得のためにも活用している、と警戒している。

AI（人工知能）、5G、ロボット技術、ビッグデータ解析といった先端技術は経済成長と社会生活の進化のトリガーとなり得るとされる一方、軍事部門においても飛躍的な能力向上につながる可能性が指摘されている。

● 中国の軍民両用アプローチ

民間技術であっても軍事応用が可能であることは多く、もはや先端技術を民生用、軍事用と切り分けることはできないし、切り分ける意味もなくなりつつある。こうした先端技術の特性を「軍民両用」、つまりデュアルユースと呼ぶ。

デュアルユースによって、先端技術の開発競争で先行することは、市場における圧倒

的シェアの確保だけでなく、軍事的優位性の獲得、ひいては戦略的な優位を実現できることを意味する。

つまり、中国による知的財産の窃取を今後も許すことになれば、軍民どちらにも応用可能な先端技術が中国にさらに流出し、中国企業の市場での優越だけでなく、中国の軍事力の向上にも応用されるかもしれないことを意味する。

● 過去への怒りと将来への危機感

その意味で米国は、サイバー攻撃に代表される知的財産の侵害という「過去に奪われた利益」に対する怒りを持っているだけでなく、今後、デュアルユースの先端技術の流出や不正取得などによって中国の先行を許せば、戦略的優位性という「将来の利益」をも脅かされるのではないか、という危機感を強めている。

このように、過去への怒りと将来への危機感という混在する2つの感情が米国を対中強硬路線へと決意させ、中国との戦略競争に駆り立てていると言える。

技術による経済の活力、戦略的優位性の維持は米国の国是とも言えるものであり、米国が持つ怒りや危機感はトランプ政権特有のものではなく、党派を超えて民主党にも一定程度、共有されている傾向だ。当然、政権にかかわらず情報機関や軍の間で共有されているのは言うまでもない。

こうした米国の警戒は決して杞憂だと否定することはできない。

●「中国製造2025」とイノベーション

そして、中国による輸出管理上の違反行為の6割は先端技術の取得を狙ったものだと言われ、サイバー攻撃のターゲットも中国のハイテク産業育成計画「中国製造2025」の重点分野と合致しているという。

この「中国製造2025」は、2025年時点で世界における「製造強国」の仲間入りすることを目標とするもので、その手段として技術革新（イノベーション）を挙げている。

イノベーションによる製造業の強化に向けて10の重点分野が指定されており、先進情

報技術（人工知能含む）、ロボット技術、航空宇宙、海洋関連、先端輸送機器、新エネルギービークル、先端材料などが挙げられている。いずれもデュアルユースと呼ばれる軍事にも民間にも応用可能な技術であり、将来の経済的利益と軍事的優位を左右するコア技術だ。

　米国は、こうしたデュアルユースの先端技術を、中国が特殊な方法で取得するのを警戒している。その特殊な方法とは、民間・学術の人材も動員しながら国家を挙げて、合法・非合法の手段を用いて先端技術を取得する「軍民融合」である。

▌軍民融合の特質

　この「軍民融合」のアプローチは、中国にとっては非常に効率的かつ有効な手段である一方、米国にとっては非常に厄介なものだ。

　中国政府から見れば、中国企業や大学、研究開発機関に対して技術の軍事転用や軍事向け開発を命じることは容易であるし、どの技術を研究すべきかの指示もできる。いわゆる産業スパイなどで情報機関や軍が不正に得た技術情報を研究開発に反映させることもできる。

　これに対して、米国のシステム（政治体制）の特徴は開かれた自由な民主主義社会であり、それが強みでもある。優秀な海外人材を惹きつけることでイノベーションが生まれ、それが技術優位となって経済成長と軍事的優位につながっていく好循環は、米国が開かれて魅力ある社会であるからこそ可能となっている。

　だが、システムが開かれているが故に、悪意ある者がスパイ活動や敵対的な情報収集活動を行う余地やアクセスポイントにも困らない。

● 民主主義のコスト

　米国において「自由」とは連邦政府による介入から自由でいる、という意味も多分に含まれており、米国社会には中央集権的アプローチを忌避する文化が根強くある。中国が

中央集権的にリソースを配分して国家の目標達成という全体最適に向けて合理性を発揮できるのに対して、分権化された米社会では、なかなか連邦政府の号令のもとで州政府、企業、大学、非営利団体、研究機関などが一致して、国を挙げた統一的行動を取ることは難しい。

仮に米国が中国のように、連邦政府主導の統一的な行動で中国に対抗しようとすれば、それこそ米国が批判している中国の専制国家的なアプローチを採用してしまう自己矛盾に陥ってしまう。そうした中央集権的アプローチはむしろ米国の強みを否定することにもなりかねない。

悪意ある者による諜報活動のアクセスポイントが多いことや目的合理的な合意形成が難しい、あるいはそれに時間を要することは、民主主義国家にとって避けられないコストであると言えるかもしれない。

だが、そのコストは目的合理性に向けてスピード感を持って動ける専制国家との競争においては時に決定的なコストになり得るのもまた事実だろう。

▍システム（政治体制）の戦い

「中国との国家体制が根本的に異なること、そしてその違いが米国の安全保障に及ぼしている影響について眼をつむり続けるのは、もはや現実的ではない」

2019年10月下旬、アメリカの著名シンクタンクであるハドソン研究所での夕食会で飛び出した発言。外交のトップらしからぬストレートな言い方で「異質な中国」を指摘したのはポンペオ国務長官だ。

毎週欠かさずトランプ大統領とホワイトハウスで昼食を共にする側近中の側近。国務省内からは「賭け金をすべてトランプに積んだ男」とも言われ、トランプ大統領との距離感は閣僚の中では抜きん出て近い人物だ。

当然、その発言はワシントンにおける外交・安全保障の意思決定者たちの心象のみな

らず、緊密なやり取りを通じてトランプ大統領の心象にも影響を与えていると言っていいだろう。

そのポンペオ氏が続けて言った言葉は、相手国について語る際は慎重な言い回しを好む外交官を統べる者としては、あまりにもストレートなものだった。

「我々は、中国が米国に対して敵対的だということはわかっている。中国の指導者たちの言葉を聞けば、それは明らかだ」

● 異質な敵

先端技術開発で米国を追い上げ、米中による戦略競争を激化させている中国の政治システム。米国の政治エリートたちは、この政治システムが米国や自由民主主義国家とは異質なものであり、その異質性が戦略競争をより深刻なものにしていることを認識し始めている。

同時に保守派や軍、情報機関の間では、戦略競争を繰り広げている相手は政治体制も価値観も異なる異質な敵なのだ、という声がひっそりと、しかし確実に共有されはじめている。

それを象徴する例が、国務省の頭脳とも言える政策企画本部長を務めていたカイロン・スキナー氏が2019年4月にシンポジウムの場で「米国は史上初めて白人以外の戦略競争相手に直面している」と公言したことだろう。この発言はその後問題視されて、氏の辞職への伏線にもなったと言われる。

この出来事が異例なのは、その人種差別的史観を彷彿させる発言内容もさることながら、国務省において対中政策のベースとなる政策理念を策定している人物が、公の場で憚ることもなく発言した点にある。

こうした発言が公の場で国務省の知恵袋から出ること自体が、中国を異質な存在として認識する考えがワシントンに浸透していることを物語っている。

● 警戒と不信

また、2020年1月10日付の「フォーブス」誌にも、今の米国が持つ「異質な中国」に対する不信感を象徴するような記事が掲載された。

記事の写真では、電気自動車のテスラ社のイーロン・マスクCEOが中国・上海での式典でガッツポーズをしている。記事のタイトルは「いかに中国製製品がプライバシー、基本的人権、そして国家安全保障を脅かしているか」。

執筆者は、元共和党カリフォルニア州議会議員で、現在はテキサスを拠点にするシンクタンクで副所長を務めるチャック・デボア氏。氏は5G環境下における自動運転を可能にするのはテスラ車に搭載された種々のセンサー類だとしたうえで、中国製のテスラ車が輸出されて米国内を走ることになれば、中国当局による監視手段として使われかねないと警鐘を鳴らす。AIによるリアルタイム顔認証とリンクすれば、中国が重要施設に対する攻撃に使うことすらあり得るとまで言っている。

この主張の特徴は、AIや5G、そしてセンサーといった先端技術を統合することで理論上、可能になる能力に、中国は自国の利益のためなら何でもしかねない、という不信感を掛け合わせている点にある。

● FBIの捜査

中国に対する警戒と不信は、中国による諜報活動と現場で向き合っている米連邦捜査局（FBI）からも伝わってくる。FBIのトップ、クリストファー・レイ長官は2020年2月の米シンクタンクCSISでの講演で、FBIの56ある支局すべてで合計1000以上の中国関連の諜報捜査を進めていることを明らかにしている。

「アメリカを追い越すために中国は、アメリカ企業の知的財産を盗み、研究開発コストを負担することなくイノベーションを得ようと、あらゆる手段とあらゆる場所、あらゆる分野で諜報活動を行っている」と強く批判。

その上で「忘れてはならないのは、中国は我々とは根本的にシステムが異なるということだ。中国は開かれているアメリカ社会を逆手にとっている」と、ここでも中国の異質性を指摘している。

　政治システムの違いに起因する不信感は米中の競争に深刻な影響を与えることになるだろう。不信感が介在している限りは、対話や妥協のベースとなる信頼醸成を築くことは困難だからだ。技術的に中国にリードされればされるほど、米国では中国との連携や協力よりも前述の「フォーブス」誌の記事のように、そうした技術が可能にする「悪夢のシナリオ」の方が意識されるだろう。

● 価値観を巡る対立

　もし米国が中国を強力な競争相手としてだけでなく、自由や民主主義、法の支配といった根本的な規範を共有していない「異質」な相手として今後も見なしていくとすれば、米中による戦略競争は妥協の余地のないゼロサムゲームになっていくことも危惧される。

　例えば、自由や民主主義、人権、法の支配といった基本的な基盤をお互い共有していれば、どんなに激しい競争があったとしても双方に一定の相互理解の基盤や安心感が維持されることが期待できる。

　しかし、もし争われているものが利益だけでなく価値観や生き方、社会のあり方でもあるとすれば、対話や妥協の余地を見出すのは容易ではなくなる。利益という有形なものを巡る競争や交渉であれば、激しい対立や競争となろうとも、お互いの利益の均衡点（妥協点）を見出す余地はあるが、価値観という社会の成り立ちの根本に関わる対立は容易には解けない。

　仮に何らかの合意ができたとしても、双方の根底に不信感が根付いている限り、本当にディール（取引）が遵守されるか疑心暗鬼は常に消えることはなく、合意の基盤は脆弱なものにならざるを得なくなるだろう。

　他方で、軍民融合というアプローチによる強国路線は、中国の政治システムと密接に関わり合っており、中国としては妥協の余地は少ない。米国の方も、中国の政治システムに対する不信感、戦略競争の必要性は、共和党だけでなく民主党にも共有されている超党派のものだ。誰が大統領になろうとも、議会や軍、情報機関、FBIなどに根付いている

対中不信は無視できないだろう。

　こうしたシステムや価値の違いから起因する不信感は、米中戦略競争をさらに複雑かつ深刻にさせていくことになるのか。先端技術を巡る対立と、価値を巡る米中の軋みの相乗効果、相互作用にも注視していかなければならない。

2

海上戦闘における米中戦略競争

オホーツクにも広がる赤い点

赤い点は、南シナ海を超えてフィリピンの東へと広がっている。

赤い点はいつしか赤塗りとなり、フィリピン海から西太平洋、そして太平洋の中心へと向かいつつある。

世界地図に散らばる赤い点は、中国海軍の動きを示している。緑の線は世界中を結ぶ海底ケーブル、水色の点のつながりはロシア海軍の活動の痕跡だ（**図2-1**）。

▼**図2-1**：中国海軍、ロシア海軍の活動範囲

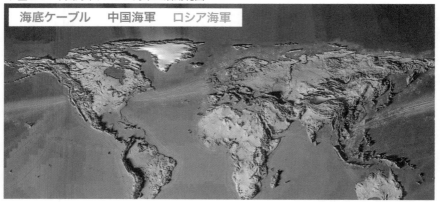

（出典　米国防総省FY2021国防予算関連資料）

この痕跡がいつから、いつまでのものなのか、水上艦艇の動きだけなのか、潜水艦の動きも示しているのか、この資料を発表した米国防総省はその詳細を明確にしていない。

だが、真っ赤に広がる中国海軍の痕跡は大国間競争の激化をまるで物語るかのように広がる。

特筆すべきはオホーツク海。これまで中国海軍の行動の活発化は南シナ海や西太平洋、場合によってはハワイ沖やアリューシャン列島でも報じられてきた。

しかし、かつては旧ソ連の内海でもあったオホーツク海での中国海軍の行動はほとんど語られてきたことはなかった。

今回、初めて米軍は、中国海軍がアジアはおろか、次はインド洋、北極海、そしてオ

ホーツク海にまでその手を伸ばしつつあることをこの世界地図でもって明らかにした。

　ひょっとすればいまだ明らかにされていない、知られざる中国海軍の拡大と、そして米中の海での競争を示す事実がまだほかにも隠されているのかもしれない。

　本章では、海上戦闘という米中戦略競争の新たな現場に注目し、中国海軍の能力向上の実態、そして米海軍が技術の改良や戦い方の変化を通じて、中国の台頭とどう向き合おうとしているのか、その実態に迫っていく。

▍米中軍事対立の現場

　「もし米国が台湾をめぐって中国と戦うことになれば、米軍は致命的な軍事的敗北を喫するだろう」

　「率直に言えば、米軍は次の国家間戦争に敗れるだろう」

　2019年、米議会が設置した超党派の国家軍事戦略委員会（National Defense Strategy Commission）がまとめた報告書には、驚くほど悲観的な言葉が並ぶ。

　執筆陣は、議会に指名された新進気鋭の安全保障の専門家たち。今後の大国間競争、とりわけ中国の軍事的台頭が米国の軍事戦略に与える意味を取りまとめた。

　「米軍の戦い方は長年、技術の優位性に依存してきた。しかし、中国などのライバルはAIや極超音速兵器といった先端兵器への投資を強化している。これは将来の戦いにおいて米国が技術的優位性を失うことを意味している」

　軍事面での中国の台頭は、確実に米国の戦略的、軍事的優位性を侵食しつつある——。今、ワシントンでは、こうした危機感が徐々に広がりつつある。

● 揺らぎ始めた空母の勝ちパターン

　戦闘においては、いかに火力を効率的かつ遠距離にいる敵に集中させられるかが、勝敗のカギを握る。それは、軍事技術が発展した21世紀の現代戦においても変わらない。

ミサイルが火薬をより遠方により速く運搬することで、火力は発揮される。現代戦においては、このミサイルを航空機に搭載したり、ミサイルの射程そのものを伸ばすことで、火力が届く範囲、つまり攻撃可能な範囲はさらに拡大していった。

射程が伸びたミサイルをさらに航空機や水上艦艇に搭載して運搬することで、その攻撃可能範囲は世界の隅々にまで及ぶようになった。米軍が誇るグローバルな打撃力のベースもここにある（**図2-2**）。

▼図2-2：SM-2対空ミサイルを発射する米海軍イージス駆逐艦

（出典　米海軍）

そして、衛星や無人機などで構成されるセンサーネットワークがそれを支える。

そのグローバルな打撃のプラットフォームになっているのが、動く航空基地である航空母艦（空母）だ。空母は、護衛の駆逐艦や攻撃型原子力潜水艦（SSN）とともに、「空母打撃群」（CSG*）を組んで行動する（**図2-3**）。

＊CSG：Carrier Strike Group、空母打撃群

▼**図2-3**：空母打撃群（CSG）の構成

タイコンデロガ級
ミサイル巡洋艦
（トマホークによる長距離攻撃）

原子力空母（CVN）

補給艦

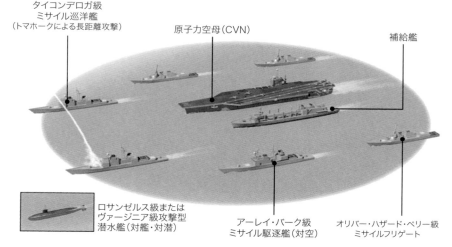

ロサンゼルス級または
ヴァージニア級攻撃型
潜水艦（対艦・対潜）

アーレイ・バーク級
ミサイル駆逐艦（対空）

オリバー・ハザード・ペリー級
ミサイルフリゲート

（出典　LA Timesを参考に作図）

● 戦略的優位を支える空母

　衛星や無人機などによるセンサーネットワークに支えられた空母打撃群は米軍のグローバル展開の先鋒であり、必要であれば世界中のどこの地点に対しても攻撃を加えることができる。米国はそうしたパワーを背景に世界中で影響力を行使しており、空母は米国の戦略的優位を支える重要な柱の1つとなっている。

　この空母を世界中のどこにでも派遣して、ミサイルをより遠くに正確に攻撃や防御のために使うことを組織的、効率的に実行できるのが米軍の強みであり、それが「米国流の勝ちパターン」だと言っていい。

　仮に米中が事を構えることになれば、戦いの舞台となるのは西太平洋、フィリピン海、南シナ海が予想される。その地形的特性を考えれば、主な戦闘領域は海、空、そこでの戦闘を支える宇宙、サイバー、電磁波の領域になるだろう。

　海と空での勝利が西太平洋での勝利を決めると言ってもよく、空母をプラットフォームとする効率的なミサイルによる火力の集中の可否が決定的に重要となる。

　だが、空母を使った「米国流の勝ちパターン」は今、中国の軍事的台頭によって揺らぎ始めている。

対艦ミサイルの「射程競争」で先行する中国海軍

現代戦においては相手が撃つ前に、先にミサイルを発射したほうが圧倒的に優位に立てる。近年、艦艇同士の戦い（海上戦闘）における主要な攻撃手段となる対艦ミサイルの超音速化、長射程化が進んでおり、防御側はますます不利になっている。

中国海軍も対艦ミサイルや対艦攻撃に使用できる弾道ミサイルの開発に力を入れていて、今では水上艦艇に搭載できるミサイルの数も、ミサイル自体の射程も米軍を凌駕しつつある。

当然、その攻撃目標は「米国の勝ちパターン」における主役である米空母打撃群だ。

● 中国海軍の実態

具体的に見ていこう。中国海軍は最新鋭のType 055駆逐艦と新鋭艦のType 052D駆逐艦にそれぞれYJ-18対艦ミサイルを搭載している。

YJ-18は、最大射程が540キロとも言われる一方、米海軍の対艦ミサイルはハープーン対艦ミサイルが120キロ（改良版だと150キロ程度）であり、大きな差がある。

同じく主力艦のType 052C駆逐艦はYJ-62（射程390キロ）を装備し、そのほかのフリゲート艦やコルベット艦でも射程120キロと、米海軍のハープーンの在来型と同等の射程を誇るYJ-83対艦ミサイルを装備している。

そのほかにもYJ-12が射程400キロ、CM-401超音速対艦ミサイルは290キロとされていて、今後、装備艦艇が増加していくものと見られている。

▼図2-4：米海軍の対艦ミサイル射程と同等、またはそれを上回る中国海軍の対艦ミサイル

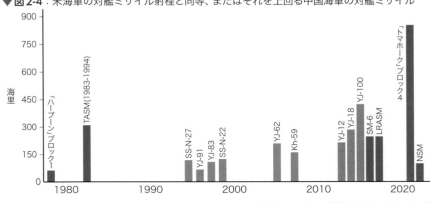

（出典　ミッチェル研究所（Mitchell Institute））

● 米海軍の対抗策

対艦ミサイルの「射程競争」で劣勢の中、米海軍がとった対抗策が、対空ミサイルSM-6を対艦攻撃に転用することだ。

本来は巡航ミサイルの迎撃を想定しているSM-6は、マッハ3.5と高速なのが特徴で、その高速が生み出す衝突エネルギーで目標を破壊する。

その射程は、対水上モードで240キロ程度とハープーンよりは射程が倍近くになっている。もちろんYJ-18との差は依然、大きいのも事実だが、まずは対空ミサイルの対艦攻撃への転用という発想の転換によって、目の前の「射程競争」での劣勢への手当てを優先させようとしている。

▼**図2-5**：SM-6対空ミサイル

(出典　レイセオン社)

● 経済効率性でも劣勢

そもそも、米軍の高性能でもあり高価でもあるミサイルは、中国のミサイルとの競争において射程の差だけでなく、経済効率性においても分が悪い。

米海軍のジェームズ・ターンウォール予備役中佐の試算によれば、SM-6対空ミサイル

が1発あたり400万ドル（2018会計年度ベース）するのに対し、中国のYJ-12は推定で1発150万ドル程度とされる。米海軍が迎撃ミサイルであるSM-6を1発調達するコストで、中国は対艦ミサイルのYJ-12を2.6発も配備できてしまう。

軍事力もまた他の分野と同様、予算を必要とし、資金がショートすれば装備も能力も維持できない。防御側（迎撃ミサイル）のコスト負担が2倍以上となれば、防御側は予算面から攻撃側（対艦ミサイル）に圧倒されてしまうことになりかねない。

▎米海軍のISR能力の課題

予算の問題から性能差の話に戻そう。ミサイルを攻撃に使うにはミサイル本体の性能や数と同じくらい、ミサイルを撃つための目標情報を集めること、そしてその情報を迅速かつタイムリーに伝達、共有することも不可欠となる。

結局、ミサイルを持っていても目標に関するターゲティング情報がなければ撃つことはできないし、撃ったとしても正確な着弾は期待できなくなってしまう。

そのような、洋上における目標情報を収集するISR＊（情報、監視、偵察）能力でも米海軍は課題を抱える。

● ISR装備品

米海軍の空母打撃群（CSG）や水上打撃部隊（SAG＊）は、広域ISRを偵察衛星といった宇宙アセット＊のほかに、空母搭載のE-2C早期警戒機、F-35Cステルス戦闘機、MQ-4Cといった高高度長時間滞空無人機（HALE UAV＊）やMH-60などの艦載哨戒ヘリ、MQ-8C無人ヘリ、そしてP-8A哨戒機に依存する。

だが、有人アセットのE-2CやP-8A、MH-60については非ステルス性や低速、低機動であるため、敵のミサイル射程が濃密に重なり合い、人民解放軍の勢力圏内を意味する「A2/ADバブル」には近づけられない。唯一、F-35Cだけがいわゆる「紛争地帯」（Contested Environment）と呼ばれる敵のA2/AD（接近阻止・領域拒否）圏内での偵察活動が可能という強みがあるものの、HALE UAVのような長時間、現場に滞空して情報収集を行うことはできない（A2/ADは、**45ページ**で解説）。

＊ISR：Intelligence, Surveillance and Reconnaissance、情報・監視・偵察
＊SAG：Surface Action Group、水上打撃部隊
＊アセット：軍事で言う「アセット」は、経営学用語の「資産」という意味ではなく、戦力投射能力の主要な柱となっている特定の兵器を意味している。
＊HALE：High Altitude Long Endurance、高高度長時間滞空
＊UAV：Unmanned Aerial Vehicle、無人航空機

● 本命は高高度長時間滞空無人機（HALE UAV）

長時間、広範囲を継続的に監視できるという意味では、洋上におけるISRアセットの本命はHALE UAVだ。

その代表格のMQ-4Cは、最大5万5千フィートの高高度を飛行可能で（飛行高度が高いほど見られる範囲も広くなる）、最大で24時間の滞空が可能だとされる。機体には情報収集に適した洋上監視レーダー、電子戦ポッド、AIS（船舶自動識別装置）レシーバー、光学および赤外線カメラを備えている。

▼図2-6：MQ-4C

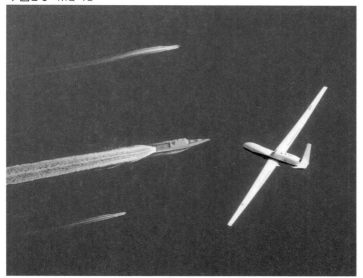

(出典　ノースロップ・グラマン社)

だが、MQ-4Cは通信衛星を経由して地上ステーションのコントロールを受けており、万が一、通信衛星の機能が妨害電波やサイバー攻撃などによって利用不可能となった場合、運用は難しくなる。

また、そもそも数のうえでも全く需要に追いつかない。MQ-4Cは2021年に実戦配備が始まるが、現時点での調達数は5機と言われ、とても広大な西太平洋をカバーする需要に応えるには十分ではない。

今後、米海軍が調達数を増加させていくのか、MQ-4C以外の情報監視偵察（ISR）ア セットを整備していくのか、宇宙アセットの利用が制限される状況下における西太平洋の 広域ISRをどう実現させようとするのか、米海軍が克服しなければならない課題は多い。

▌中国海軍は隻数でも急追

米海軍の劣勢は、ミサイルの射程や経済効率性だけにとどまらない。ついに中国はそ の猛烈な建造ペースによって戦闘艦艇の数でも米海軍に迫りつつある。

▼表2-1：中国海軍の戦闘艦艇数

型	1990	1995	2000	2005	2010	2015	2020
空母	0	0	0	0	0	1	1-2
駆逐艦	19	18	21	21	25	28-32	30-34
フリゲート	37	37	37	43	49	52-56	54-58
コルベット	0	0	0	0	0	20-25	24-30
揚陸艦	58	50	60	43	55	53-55	50-55
沿岸警備艇 （ミサイル装備）	215	217	100	51	85	85	85
合計	329	322	218	158	214	239-254	244-264

（出典　米中経済安全保障委員会）

▼図2-7：中国海軍の観艦式

（出典　China Military Online）

　図2-8のイラストを見てもらいたい。中国の軍事研究者が自身のツイッターにアップしたもので、中国海軍の戦闘艦艇の数を表しているとされる。このイラストがどこまで正確かは不明だが、中国海軍の量的拡大のトレンドを大づかみにする際の参考にはなるだろう。

　1つの例を挙げれば、2009年当時、西側海軍の一線級の駆逐艦に近い能力があるとされるType 052C駆逐艦はわずか2隻を数えるのみだったが、10年後の2019年にはその発展型のType 052D駆逐艦が11隻に激増している。

▼**図2-8**：中国海軍の戦闘艦艇増加のイメージ

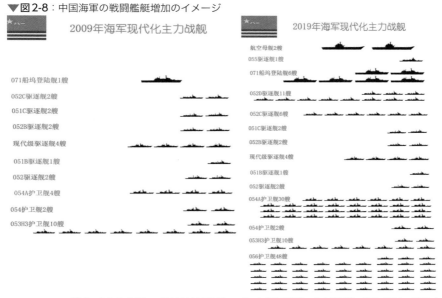

(出典　@OedoSoldier、2018年6月10日のツイート「PLA海軍の水上戦闘艦の変化 2009〜2019」)

　「この建造ペースが今後も衰える兆しは今のところ見られない」と、米太平洋軍司令部（当時）で中国海軍の情報分析に長年携わっていたジェームズ・ファネル退役大佐は見る。ファネル元大佐は大連や上海における造船所の建造能力から推測すれば、2030年時点で潜水艦を除いた戦闘艦艇の数は432隻以上になる可能性があると見積もる。

　2030年時点で中国海軍は質量ともに大きな進展を遂げて、複数の空母機動部隊を運用していることになっているだろうとも指摘する。

▼**表2-2**：海軍情報局（ONI）の公開レポートを基にファネル元大佐が作成した2030年時点の中国海軍の戦闘艦艇数

プラットフォーム	保有数
駆逐艦	34
フリゲート	68
コルベット	26
ミサイル哨戒艇	111
揚陸艦	73
機雷戦艦艇	55
主要補助艦艇	65以上
水上戦闘艦艇合計	432以上
攻撃型原子力潜水艦（SSN）	12
弾道ミサイル原子力潜水艦（SSBN）	12
潜水艦（SS）	75
潜水艦合計	99

（出典　米海軍大学機関誌 Naval War College Review）

　そして今も、上海で、大連で、中国海軍の驚異的な建造ペースは衰えることもなく、新たな艦艇を送り出しつつある。

　図2-9は、上海の造船所を上空から撮った写真だ（「フォーブス」誌に掲載）。2019年12月に撮影された写真には、最新鋭のType 055駆逐艦からミサイル追跡艦まで実に9隻が収められている。いずれも建造中のものと見られ、艤装や試験航海などを経て第一線に投入されていくことになる。

▼**図2-9**：上海の造船所で建造中の中国海軍艦艇

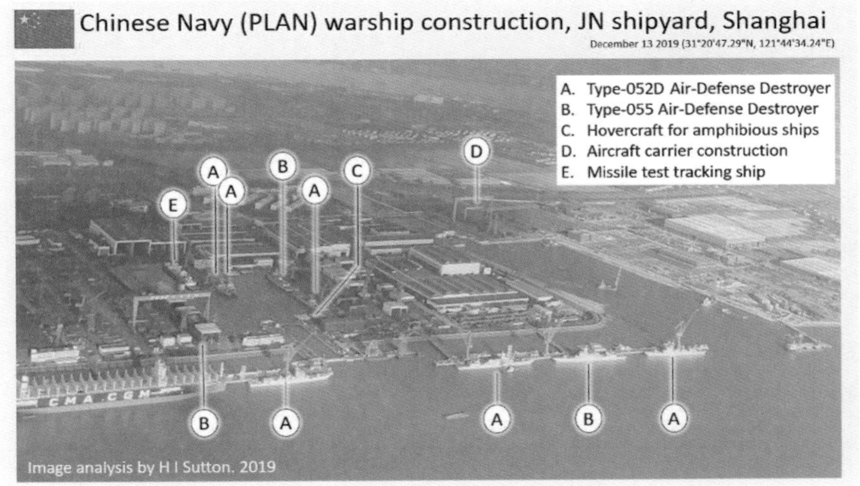

A. Type 052D 対空駆逐艦　　　B. Type 055 対空駆逐艦
C. 揚陸艦用ホバークラフト　　　D. 空母建造　　　　　　　　　E. ミサイル追跡艦

(出典 「フォーブス」誌、解析はH I Sutton)

量的劣勢の米海軍

● 揺れる方針

　一方の米海軍は、量的拡大を図れないでいる。2030年時点で355隻態勢となっていることを目標に掲げているものの、予算の制約により、その実現のメドは立っていない。ちなみに中国海軍は、艦艇の質は別として隻数だけで言えば、2019年時点で335隻に達していて、2021年には355隻を超える陣容を整えるものと見られている。

　こうした現状に米国議会からも懸念の声が上がり始めているが、予算が確保される見通しは立っていない。上院海軍力小委員会のパデュー小委員長は、2030年時点で中国海軍は425隻態勢となる一方で、米海軍は現行2020会計年度予算のペースではインフレ率を十分に加味できておらず、2034年になってようやく355隻態勢に達すると予測している（**図2-10**）。

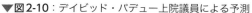
▼**図2-10**：デイビッド・パデュー上院議員による予測

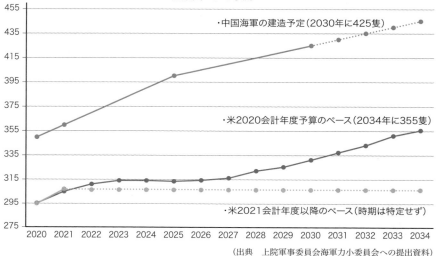

・中国海軍の建造予定（2030年に425隻）

・米2020会計年度予算のペース（2034年に355隻）

・米2021会計年度以降のペース（時期は特定せず）

（出典　上院軍事委員会海軍力小委員会への提出資料）

　中国の圧倒的な建造ペースを前に、高価なイージス艦の建造で対抗することは予算の観点からも現実的ではないとの問題意識から、ワシントンでは355隻態勢の実現には、より軽量で低価格な無人艦艇の導入を求める議論が出ている。

　仮にその方向になるとすれば、将来、355隻に近い数を確保できたとしても、その構成艦艇を見れば中国の巡洋艦クラスや駆逐艦クラスとは比べ物にならないような無人艦艇による「数合わせ」となっている懸念も拭えない。

● 展開数の差

　さらに重要なことは、戦闘艦艇の隻数だけでなく、実際にアジア太平洋に展開できている隻数だ。前者と後者の数は必ずしも一致しない。米海軍はアジア太平洋だけでなく、中東、欧州の近海にも常時展開しているからだ。

　過去20年間、米海軍は概ね常時100隻の艦艇を世界中に前方展開させてきた。**図2-11**は、米国防総省発表の2020年1月30日時点の全世界における米海軍艦艇の前方展開数だ。

　米海軍が保有する戦闘艦艇293隻中、約3分の1が稼働していて世界中に散らばっているのがわかる。この日における西太平洋の展開数は61隻である。

▼**図2-11**：戦闘艦艇の配置図（2020年1月30日）

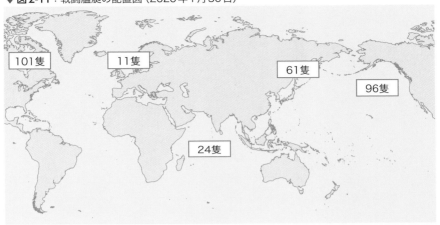

（出典　米国防総省）

　米海軍は、これまで概ね50隻前後、多い時で60隻程度で推移していた西太平洋への前方展開を、2020年代中には常時67隻前後まで増やしたいとしている。

● 中国の戦術上のメリット

　だが、それでも数的優勢は中国海軍の方にある。世界中に分散している米海軍に対して、中国海軍はホームの利点を活かして東シナ海や南シナ海で海軍戦力の集中運用をはかることが可能であり、米海軍全体の2割ほどの戦力と対峙すればいい戦術上の利点がある。

　一方の米海軍は紛争の初期段階は西太平洋に前方展開している隻数だけで、中国海軍の可動戦力と対抗しなければならなくなる。米本土東海岸にいる戦力や欧州、中東方面に展開している戦力が駆けつけるには最低1週間は必要であるため（**図2-12**）、それまで太平洋所在の隻数だけで持ちこたえなければならなくなる。

▼図2-12：主要米軍基地から台湾海峡付近への艦艇による所要日数

北極海

ロシア

アラスカ

中国　日本

ベーリング海　アラスカ湾

アメリカ

サンディエゴ
6,700マイル
(13〜21日)

東京
1,700マイル

沖縄
1,000マイル(2〜3日)

ハワイ
5,000マイル
(10〜16日)

東シナ海

グアム
1,700マイル
(3〜5日)

太平洋

ダーウィン
1,900マイル

オーストラリア

（出典　ヘリテージ財団）

A2/AD（接近阻止・領域拒否）の核心である ASBM（対艦弾道ミサイル）

　中国のミサイル戦力は艦隊同士の海上戦闘という戦術レベルだけでなく、一段上の作戦レベル、ひいては米国のアジア太平洋への関与の行方をも左右する戦略レベルの影響を持ちつつある。

　その代表格が、中国の弾道ミサイルだ。中でも海上を航行する米空母といった大型艦艇を狙う「対艦弾道ミサイル」（ASBM：Anti-Ship Ballistic Missile）であるDF-21Dが持つ戦略的インパクトは、無視できないレベルになりつつある。よく中国の軍事的脅威と

してA2/AD能力が指摘されるが、極論すれば中国のA2/AD能力の核心とはミサイル戦力だと言っても過言ではなく、その主な柱がASBMだ。

● A2/ADとは?

A2/ADとは、Anti-Access/Area-Denialの略で、日本語では「接近阻止・領域拒否」と言われる。Anti-Access＝A2とはアクセスを阻止する、つまり米軍をミサイルなどによる威嚇や圧迫によって特定のエリアに入れさせないことを意味する。つまり米軍の介入を拒否するのが目的となる。

Area-Denial＝ADは特定エリアにいる米軍の行動の自由を許さず、できるだけ戦力を発揮させないようにすることを目指している。

● 海上戦闘に見るA2/AD

海上戦闘の領域にあてはめれば、中国は長射程のミサイルで米空母のアクセスを阻止して中国本土に近づけさせない努力をする。空軍戦力に対しては前方展開拠点に対してミサイル攻撃をすることで、中国に対する航空作戦を実施（＝アクセス）できないように拒否する。

万が一、米海軍部隊が進出してきたとしても、あるいは開戦時にすでに近傍に米海軍部隊がいたとしても、ミサイルなどによって威嚇、攻撃を加えたり、宇宙アセットに対する妨害や攻撃によって自由な作戦行動や戦力の発揮を許さない、つまり拒否するということになる。

● ASBMの意味

本章において最も重大視するのは、これから触れる対艦弾道ミサイル（ASBM）である。それが米空母の接近を阻止しようとする効果、および自由な行動を拒否しようとする効果について特に着目して議論をする。

中国が運用する対艦弾道ミサイルDF-21Dは、推定射程1500キロから2000キロの準中距離弾道ミサイルで、陸上に展開する移動発射台（TEL＊）から、遥か彼方の水上を航行する空母を攻撃することを目的としている。

＊TEL：Transporter Erector Launcher、移動発射台

ミサイル自体は全長15メートル、重量はおよそ15トン。ミサイル本体から分離されて大気圏に再突入する弾頭部分にあたる再突入体（RV*）には合成開口レーダー（SAR*）または光学カメラが搭載され、ミサイル本体から分離した後にRVを誘導すると言われている。

　人民解放軍が現時点で合計何発のASBMを保有しているかは不明だが、米国防総省の推計では移動発射台（TEL）が150両、弾数は150発～450発を保有しているとされる。また、年間生産可能数は20～40基と言われる。

　技術的実現性を疑問視する声が後を絶たないASBMだが、一般に明らかにされていないものも含めれば、複数の実射試験が行われて技術的な改良が進められてきた。

● ASBMの発射実験

　発射実験は、これまでに判明しているだけで、2013年4月に地上の300メートルクラス（米空母の飛行甲板を想定か）の標的に向けた実験のほかに、2019年6月には南シナ海の南沙諸島の海域に向けて中国南部から合計6発のASBMを発射している（**図2-13**。余談ながら、初報を報じた米CNBC女性記者にこの発射実験内容を漏らしたとして、同記者と同棲していた米国防情報局の現役職員が後日、逮捕されている）。過去には渤海においてロフテッド軌道での発射実験が行われたとの説もある。

▼**図2-13**：2019年の実射実験において中国側が設定した航行警戒海域・侵入禁止空域

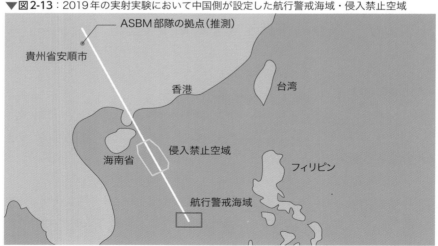

（出典　Naval Newsを参考に作図）

＊RV：Re-entry Vehicle、再突入体
＊SAR：Synthetic Aperture Radar、合成開口レーダー

● 対艦弾道ミサイルDF-26「グアムキラー」

DF-21Dに加えてDF-26（図2-14）もまた、ASBM戦力を構成している。

DF-26の射程は、DF-21Dの2倍の4000キロとも言われる。対艦攻撃、対地攻撃の両方が可能とされるため、中国本土からグアム基地を攻撃可能な「グアムキラー」とも呼ばれている（図2-15）。

▼図2-14：対艦弾道ミサイルDF-26「グアムキラー」

(出典　China Military Online)

▼図2-15：グアムの攻撃が可能なDF-26

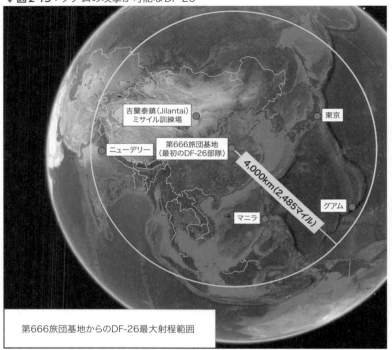

吉蘭泰鎮（Jilantai）
ミサイル訓練場

東京

ニューデリー

第666旅団基地
（最初のDF-26部隊）

4,000km（2,485マイル）

マニラ

グアム

第666旅団基地からのDF-26最大射程範囲

（出典　全米科学者連盟）

　国防総省は、中国がDF-26について移動発射台（TEL）を80両、弾数としては80発〜160発保有していると推測している。特に2018年から2019年にかけて移動発射台が一気に60両近く増加しているのが、特筆すべき動きだ。

弾道ミサイルという合理性とその過大評価

● 使い勝手のいいミサイル

　中国が長射程の対艦ミサイル、巡航ミサイル、そして弾道ミサイルといったミサイル戦力に重点投資するのは、どのような軍事的合理性があるからなのだろうか。

　同じく空を経由して火力を投射する航空機と比べて弾道ミサイルは多くの運用上のメリットを持っている。使う側からすると「使い勝手のいい」兵器と言ってもいい。

　まず、陸上から遠距離の目標に対して、航空機などに比べると容易に火力を投射できる利点がある。航空機は、エンジンやアビィオニクス（航法用電子機器）など精密機器の塊であり、慎重な取り扱いを必要とするほか、点検箇所も多くなり、使用・維持どちらにおいても負担が大きい。

　航空機の運用はパイロットだけでなく、整備や管制、早期警戒管制機（AWACS*）といったサポート役の航空機を必要とし、「システムのシステム」（System of System）とも言える複雑なプロジェクトとなる。かかわってくる運用機数や人員が多くなればそれだけ作戦も複雑となり、事前準備や作戦計画もまた複雑になるが、弾道ミサイルの運用手順や準備作業は、そこまで複雑ではない。

　事前準備が大がかりにならないということは、命令から発射までの所要時間も短くて済み、作戦の兆候を敵につかまれるリスクもそれだけ低くなる。

　また、航空機はその行動半径や攻撃可能な範囲を拡大させることは機体の改造を要するため難しいが、弾道ミサイルの射程延伸は航空機ほど難しくない。ミサイルの構造が航空機ほど複雑ではないことも理由で、その分、追加生産や増産することも航空機よりは容易だ。

　加えて実際の作戦運用におけるメリットも大きい。弾道ミサイルは航空機よりも高速であるため敵に迎撃されにくい。そのため攻撃側が狙った効果を得られやすい。

　更に、発射拠点が中国本土の防空網に守られた場所に位置することも戦術上のメリットをもたらす。米軍が容易に手を出せない、守られた場所から一方的に遠方にいる米軍に対して、同時に大量のミサイル攻撃を仕掛けることで圧倒する、という戦い方も可能だ。

　逆に米軍から見れば、空母を悩ますASBMを無力化するには、防空網が濃密な中国本土に近づく危険を冒さないといけなくなり、非常に厄介な存在だと言える。もちろん米軍からすれば、攻撃を受けた場合も、航空機より弾道ミサイルによる攻撃の方が対処が困難なため、こちらも厄介だ。

　こうしたメリットを踏まえれば、攻撃効果が相対的に容易に得られるミサイルを中国が志向するのは、軍事的合理性に適っている。

＊AWACS：Airborne Warning and Control System、早期警戒管制機

● ASBMは過大評価？

他方で、ASBMを過大評価するべきではないという声があるのも事実だ。ASBMは長射程ゆえに水平線の遥か彼方の遠方を移動する空母に関する目標情報を正確に入手して、迅速に伝達、共有することが不可欠となる。

終末段階で再突入する際に発生する高熱に対し、ミサイルのシーカーがホワイトアウト（目標の識別不能）にならないよう、素材的に耐えられるのか、レーダー誘導の場合は電波透過性を確保できるのか、といった技術的課題もかねてから指摘されている。

さらには宇宙に関する**第3章**でも触れるが、上記のことを可能にしているのは衛星などの宇宙アセットだ。ASBMが宇宙アセットに依存していることは脆弱性にもなる。宇宙アセットが妨害されればASBMの運用もまた妨害されるからだ。つまりASBMの宇宙への依存は米国につけ入る隙を与えていると言えよう。

当然、米海軍も様々な対抗手段を用意しており、ASBMの有効性がどこまで発揮されるのかは、実際に開戦して初めて明らかになるだろう。

▌ASBMによる心理的効果と戦略的効果

果たして本当に機能するのかどうか、疑問や批判も多いASBMだが、米海軍が装備調達、作戦ドクトリン、訓練などでASBMの脅威を前提にしていることを鑑みると、少なくともカタログ上の運用能力を獲得済みであると推測すべきだろう。

● ASBMの心理的効果

ASBMの特徴は性能の是非もさることながら米軍や自衛隊に及ぼす、その心理的効果にある。

「機能するかもしれない、しないかもしれない。だが、もし機能したら虎の子の空母が無力化されてしまうかもしれない」

そんな疑心暗鬼が少しでも芽生えれば、もう中国の目的の半分は達成されたようなものだ。

軍人は、最悪の事態を想定するのが行動原理だ。最初は小さな心配の一滴も時間の経過とともに徐々に広がりを見せていく。そうなれば、いつしか指揮官は万が一にも機能する可能性があれば、空母をASBM射程内に投入することに躊躇するだろう。

● ASBMを前提にした作戦立案

実際に米軍はすでに、ASBMが脅威を及ぼし得るという前提で作戦を組み当てている。台湾有事シナリオを模擬した米海軍と海上自衛隊の共同演習でも、米空母は第2列島線*よりも中国寄りに出てくることはほとんどないという。

「『そんな後ろに下がるのか?』と思うほど米空母は前に出てこない」と海上自衛隊幹部は言う。「米海軍の艦艇は、中国の弾道ミサイル攻撃を避けるため、開戦直後はテニアン島*あたりまで後退して、戦力の温存をはかるだろう」と指摘する。

▼図2-16:「前に出ない」米空母打撃群

(出典 米海軍)

すでにASBMは米軍の作戦立案を複雑にさせ、中国本土に容易には接近できない、という心理的圧迫を日米の軍事当局者に与えることに成功している。米海軍制服組トップのジョン・リチャードソン海軍作戦部長は2016年10月当時、A2/ADという言葉を部内で使うことを禁じる声明を発表している。

---

*第2列島線:中国が設定する戦力展開ライン (対米防衛線) の1つ。小笠原諸島からグアム・サイパンまでを指す (後出の図2-21参照)。
*テニアン島:北マリアナ諸島の島で、サイパン島から約8km。アメリカ合衆国の自治領。

「まるでミサイルの射程の線が引いてあると、そこから先は入れないかのようなマインドセットになっている。そんなことはない。我々は必要となれば線の中に入って行って戦うのだ」というのが氏の趣旨で、ASBMや巡航ミサイルの脅威を前に防御思考に陥りがちな部下たちを諫めたのであった。

トップがそのような号令をかけなければならないほど、米海軍はいつしか攻撃精神よりも守りの議論に支配されるようになっていた。

▌中国本土に近づけない？　米空母

　米海軍が防御思考に支配されるのも無理はない。ASBMに、喧伝されている通りの性能や、それに近い性能が本当にあるとすれば、それは米海軍に深刻な影響を及ぼす可能性があることは理論上あり得る。

　図2-17を見てほしい。あくまで数字上のものだが、もし機能するという仮定に立てば数字は厳しい現実をつきつけている。

▼図2-17 米空母の攻撃可能半径を上回るASBMの射程

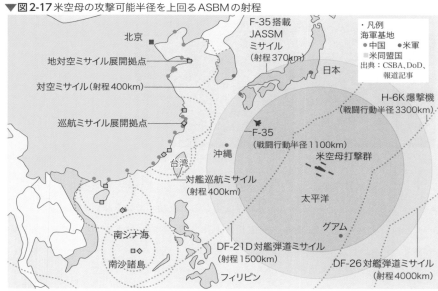

JASSM：Joint Air-to-Surface Standoff Missile、統合空対地スタンドオフ巡航ミサイル
CSBA：Center for Strategic and Budgetary Assessments、米戦略予算評価センター
DoD：United States Department of Defense、アメリカ合衆国国防総省

(出典　「エコノミスト」誌掲載の図を参考に作図)

● 数字が示す現実

ASBMのDF-21Dの射程が1500キロとされる一方、米空母への搭載が進んでいるF-35Cの戦闘行動半径は、ペイロード（弾薬搭載量）にもよるが、およそ1000キロ余りだ。艦載機よりもASBMの方がリーチが長いため、米空母が中国本土の攻撃目標にF-35ステルス戦闘機を使って攻撃しようとする時は、当然ASBMの射程内に入るリスクを取らなければならない。

反対に、攻撃を恐れてASBMの射程外の安全圏に留まろうとすれば（グアム周辺まで下がっても依然、ASBMのDF-26の射程内にいることになるが）、F-35Cの作戦行動半径外となり、米空母の戦力投射はままならなくなる。米軍の強みである空母を使ってグローバル展開して、航空戦力（艦載機）による反復攻撃によって正確に圧倒的な火力を投射するという「米国流の勝ちパターン」は実行できなくなってしまう。

中国から見れば、ASBMの威嚇によって空母を艦載機の行動半径外に追いやれば、わざわざ空母を破壊せずとも、事実上、無力化できるので非常に効率の良い方法だ。

● ASBMの戦略的影響

加えて米軍の宇宙アセットに対する攻撃を仕掛けて米軍のネットワークを麻痺させれば、いよいよ米軍の足を止めることができるかもしれない。

あるいはASBMが脅威だと米軍に信じさせることができれば、米軍の動きを鈍くさせられるかもしれない。その間に台湾侵攻といった戦略目標を達成してしまおう。

中国が狙っているのはこの点にある。ASBMがもたらす影響が単に海上戦闘という戦術レベルだけでなく、紛争の勝敗に関わる戦略レベルにも及ぶというのは決して大げさではない。

だからこそ中国は対艦弾道ミサイルなど長距離ミサイルに資源を投じ続け、それらを使って米空母を封じ込めようとしている。**第3章**で詳述するように、加えて米国の宇宙ア

セットに対する妨害、攻撃によって米軍の動きを低下（degrade）させ、さらに「米国流の勝ちパターン」を崩そうとしているのである。

長射程ミサイル拡散の軍事的インパクト

従来の米軍が享受してきた自由な戦力投射、自由な行動が揺らいでいる背景には、これまで議論してきたように陸上からのミサイルによる攻撃、そしてそれを可能とする宇宙アセットやレーダー、無人機（UAV）などによる偵察ネットワークがある。

センサーネットワークとミサイルが織りなす、容易に立ち入れない、入ったとしても犠牲を強いられる、自由に動けない「A2/AD勢力圏」（No Man's Land＝敵、味方いずれからも占有されていないエリア）が発生した時、米軍はどのような軍事戦略上の課題に直面するのか。

この点について考察をしているのが、米シンクタンクCSBA（戦略予算評価センター）でかつてトップを務めた碩学、アンドリュー・クレパノビッチ（Andrew Krepinevich）氏によるレポート「高度に精密攻撃能力が発達した状況下における海上紛争」（Maritime Competition in a Mature Precision-Strike Regime）だ。

クレパノビッチ氏は、衛星、無人機（UAV）、レーダーといったセンサーネットワークが発達したことで敵を容易に発見できるようになった世界では、地上配備型の兵器が海上配備型の兵器より圧倒的に有利になっている、と指摘する。

● ホーム（地上）の利点

例えば地上配備のミサイルや長距離砲は、海上でミサイルの補充ができない水上艦艇に比べて弾切れを心配せずに備蓄が続く限り発射ができる。弾切れを心配しなければならない水上艦艇よりも、より多くの火力を発揮できる。

また、大海原である西太平洋では一部の島嶼を除いて大型の水上艦艇が身を隠す場が地上に比べれば圧倒的に少ない。特に航空母艦といった大型艦艇を擁する空母打撃群は、地形を利用したカムフラージュの余地がなく、「空からの眼」や電子情報収集（ELINT＊）衛星に見つかりやすい。

一方、ASBMといった移動発射台（TEL）に乗せられたものは、その機動性を活かし

＊ELINT：ELectronic Intelligence、電子情報収集

て移動を繰り返して山や森、トンネルなどに身を隠すことができるなど、周りの地形を味方につけることが容易（**図2-18**）だ。

▼**図2-18**：移動発射台（TEL）に搭載されて機動が可能な弾道ミサイル

（出典　China Military Online）

こうした地上配備型兵器の優位性は、遠征してくる米軍を中国本土周辺で迎え撃つ格好になる中国にとってホームの利点を意味する。

ホームで戦える中国と、敵のホームまではるばるハワイや米本土から遠征していかなければいけない米軍。もちろん米軍だけでなく中国海空軍も海上やその上空で戦うことになるが、米軍とは違って中国本土の戦力の援護を受けることができる。

● アウェー（海上）のハンディ

これに対して米軍は、在日米軍基地やグアムが使用可能であれば、陸上からの支援を得ることが可能ではあるが、グアムや沖縄といった前方展開拠点も攻撃対象となることが考えられる。

陸上基地の支援を受けられないことは大きな戦術上のハンディとなる。巡航ミサイルを例に考えてみよう。地上発射型の巡航ミサイルと弾道ミサイルであれば、前述したように搭載可能数が限られる水上艦艇の海上発射型のものよりも、弾数も確保でき、それだけ持続的あるいは集中的に火力を投射できる。

他方、水上艦艇から発射される巡航ミサイルは艦艇のオンボードセンサーのほかは衛星の支援を受けるが、衛星が機能しなくなった時はその支援は受けられない。

ところが地上発射型は、地上に配置されているレーダーやそのほかのセンサー、地上基地から発進するUAVなどのセンサーからの複合的な支援を得られる優位性がある。先ほども触れたように隠れる場所もあるので、生存性も高い。

それに対して、海上では隠れる場所はほぼない。大型艦艇は地形に隠れることもなく、その姿をさらけ出している。

▼**図2-19**：空母に隠れる場所はない

（出典　米海軍）

また、敵を探すセンサーも、海上ではUAVによる常続的な運用は難しい。せいぜい1機あたり最大でオンステーションは24時間だろう。

まず西太平洋は広いため、衛星以外のUAVだけでは監視能力は足りない。監視活動を実施する空域と発進拠点の基地が離れていれば、往復に要する時間、燃料が増えるため、それだけ現場に留まれる時間も短くなる（これはUAVに限らず、空母やグアムから発進する戦闘機にも当てはまる問題だが）。

艦艇を支援する前方展開基地も中国のミサイル攻撃に脆弱であり、地上基地に配置されているセンサーの防護も容易ではない。逆に中国本土は広大であり、中国は兵器を分

散配置し、隠ぺい処置も施している。地対空ミサイル網にも守られており、米軍は容易に手出しできない。

同盟国を考慮したアメリカの選択肢は3つ

クレパノビッチ氏が強調しているのは、こうした戦術面の影響だけにとどまらない。長射程のミサイルが発達すると、容易に射程内に接近できなくなるだけでなく、敵のミサイル射程内にいる同盟国が敵ミサイルによる継続的な攻撃にさらされることの重大性に氏は注目する（**図2-20**）。

▼図2-20：中国の各種弾道ミサイルの射程内にある米軍基地と同盟国

（出典　シドニー大学）

そこで、同盟国と防衛条約を結ぶ米国は軍事戦略上、難しい選択を迫られることになる。クレパノビッチ氏によればその場合、米国には大きく分けて3つの軍事戦略上の選択肢があるという。

●①静観

まず第1の選択肢は同盟国の救援には行かない、つまり静観するというもの。

この場合、米軍は出血を避けることができ、戦力の温存が図られる軍事的メリットがある。ただ、その同盟国との同盟関係は崩壊するだけでなく、そのほかの同盟国の間にも米国との同盟のクレディビリティが揺らぐことになる。同盟国の信頼を失うことになれば、同盟関係は解消、米国は前方展開拠点を失うなど、その戦略的損失は大きいものとなるだろう。

●②海上封鎖

第2の選択肢は中国を海上封鎖することだ。「チョークポイント」と呼ばれる、中国の海上交通路が通る海峡を封鎖することで、中国へのエネルギー供給を断ち、生産能力の低下、景気後退、それに伴う社会不安の惹起、体制の動揺などを誘い、戦争継続の意思を削ぐことを狙う。

この選択肢の利点は、犠牲を伴う大規模な戦闘を避ける軍事上のメリットを確保しながら、同時に中国に対する圧迫が継続されるため、米国は戦っているという姿勢を示すことができるところにある。同盟国には「見捨てていない」というメッセージともなり、同盟関係へのダメージを限定できる点が大きい。

欠点は、効果が出るまでに時間を要することだ。米国に時間的余裕がある場合は有効だが、その間に敵ミサイルの射程内で圧力、攻撃にさらされる同盟国が屈服してしまうリスクが残る。

海上封鎖とは、エネルギーや食糧の輸送を海上での臨検によって止める、いわゆる兵糧攻めだが、戦国時代の兵糧攻めと同様に、敵が閉じこもって出てこなければ敵の戦闘力は温存されてしまうことになる。敵の水上艦艇や航空戦力が港や基地にこもって防備を固めてしまえば、戦闘能力は温存されるので、敵が降伏あるいは停戦を選ぶ政治的イ

ンセンティブも低下させるかもしれない。

　具体的には、**図2-21**に示すように、艦船や航空機をチョークポイントと呼ばれる、中国のシーレーンが通る重要な海峡などに配置して、中国に向かうタンカーや貨物船をチェックすることになる（図の青い円がマラッカ海峡、スンダ海峡、ロンボク海峡）。

　中東から中国に向かうタンカーはこの3つの海峡を通るため、そこで臨検を実施して仕向け地を変更させたり、積載物を没収したりしてしまう。これにより、経済生産活動や戦争行為の維持に必要なエネルギーや原材料の供給を妨害しようという狙いだ。

▼**図2-21**：中国に対する海上封鎖のイメージ

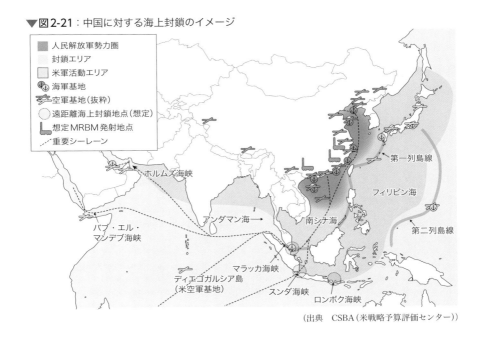

(出典　CSBA（米戦略予算評価センター）)

● **③攻勢**

　残りの選択肢は、攻勢に打って出る、というものだ。この選択肢は紛争の早期解決を図ることが戦略目標となり、中国の台湾侵攻を阻止することが強く意識されることになる。

攻勢に打って出ることにより、アジア太平洋に関与する米国の強い政治的意思を示すことができ、同盟国にとっては歓迎すべき選択肢だと言える。

だが軍事的には、この選択肢は米国に多大なコストと人的犠牲を強いることになる。備蓄数が必ずしも多くないミサイルなどの弾薬の消費ペースは跳ね上がり、米軍は弾薬不足に直面するだろう。

弾薬が決定的に不足すれば、戦闘行動は遅滞し、紛争の早期解決をはかるために攻勢に出たのもむなしく、むしろ戦闘は膠着して紛争も長期化してしまう恐れもある。

● アメリカの長距離打撃力

A2/AD環境下においては、敵のA2/AD兵器をアウトレンジできる（敵の射程外から攻撃を加えられる）長距離打撃力が必須となり、それを提供できるプラットフォームは空母とその艦載機、陸上基地から発進する爆撃機、そして原子力潜水艦に限られる。

だが、空母打撃群（CSG）が敵のミサイル射程内に入ろうとすると、敵ミサイルの攻撃にさらされ、作戦行動の大半を敵に対する攻撃ではなく、敵ミサイルの迎撃といった防御に費やすことを強いられるだろう。実際、それを想定して米海軍の水上艦艇の搭載ミサイルの75％が攻撃ミサイルではなく迎撃ミサイルだと言われる。

一方、米空軍の爆撃機は中国の地対空ミサイル射程外から、海軍の巡航ミサイル搭載型原子力潜水艦であれば水中から、それぞれ巡航ミサイル（トマホーク）を発射できる。しかし、トマホークはかねてから指摘されているようにペイロード（弾薬搭載量）が不足している、つまり打撃力が決定的に足りないという問題がある。

トマホーク1発の炸薬量が450キロ程度では、期待できる破壊効果は数両の車両がせいぜいで、航空基地や宇宙関連施設を完全に無力化するには破壊力不足だとされる。限定的にピンポイント爆撃をする場合には有効だが、堅牢な目標には向かない。通常爆弾と比較して弾数も限られるため、数百以上になるであろう中国本土の攻撃目標に対応するのは難しいだろう。亜音速という低速の部類に入るため敵防空網による迎撃に脆弱だとされてもいる。

● 空母が生き残る理由

そうなると、攻撃効果が得られる最も効率的な攻撃方法は、やはり空母艦載機による反復攻撃にならざるを得ない。多数の攻撃目標への対処、再攻撃や反復攻撃を可能とするにはソーティ（出撃回数）を稼ぐことが大前提となるからだ。

A2/ADの登場によって有用性を疑問視する声も上がる空母だが、それでも主要な打撃プラットフォームは空母しかない、という側面も根強く残る。空母が生き残り続ける理由はここにある。

▼図2-22：艦載機（F-35C）による攻撃が依然として有効な空母

(出典：米海軍)

▍アメリカの戦術的選択肢は2つ

次に、仮に攻勢に出る決定がされたとして、それを達成する手段である戦術をどうするか、という新たな難題が出てくる。やみくもに犠牲を出すわけにはいかない中で、どのように戦うのか。

米シンクタンクCNASのクリストファー・ドーエリー（Christopher Dougherty）研究員はこの問いについて、2つの選択肢があると指摘する。

つまり、①攻撃目標を中国のA2/AD兵器にして攻勢に出ること、あるいは②中国軍の侵攻（攻撃）部隊を優先的に攻撃していくこと、のどちらしかないという。攻撃目標数は多く、かつ広範囲にわたるため、米軍といえども同時に両方の能力を叩くことは不可能だからだ。

具体的には以下の通りとなる。

①米軍のアクセスを阻害する弾道ミサイルや巡航ミサイルの発射機（つまりA2/AD兵器）を排除してから、中国本土に接近して台湾に侵攻しようとしている攻撃部隊を叩く。

②あるいは、ミサイル攻撃を受ける犠牲を覚悟して（A2/AD兵器には手を付けないまま）、台湾に侵攻しようとしている上陸部隊やそれを護衛する空母機動部隊、艦隊といった侵攻部隊を叩く。これは、犠牲を織り込みながら、とにかく台湾併合という戦略目標の達成を阻止することを優先させるアプローチとなる。

● 2つの選択肢のメリット・デメリット

ドーエリー研究員は、自身のレポート「なぜアメリカには新しい戦い方が必要なのか」（Why America Needs a New Way of War）の中で、それぞれの選択肢の長短について次のように分析している。

敵の防空網や巡航ミサイル、弾道ミサイルといったA2/AD兵器を先に攻撃すれば、それだけ米軍に対する圧力も弱まり、米軍の進出ルートを切り開くこともできる。それにより作戦行動可能範囲が広がり、部隊がさらされるリスクも低下できるだろう。

だが、米軍の犠牲を抑えながら着実に進出していくこの方法では時間をあまりに要するため、その間に中国が戦略目標を達成してしまう恐れがあるという。中国の進出を止めることができず、台湾が中国の手に落ちる、あるいは日本やフィリピンの島が奪取される、あるいは同盟国が降伏してしまう、ということになりかねないという。

他方で、A2/AD兵器には手を付けず、先に中国の侵攻部隊を叩く選択肢もあるが、艦

載機や爆撃機は地対空ミサイル、艦隊空ミサイルの迎撃を受けて、多数の犠牲を出すことになる。その損害レートはその後の作戦行動も不可能にしてしまうかもしれない。

　最悪の場合、侵攻部隊を無力化できないだけでなく、A2/AD兵器にも手を付けられないまま、後退を余儀なくされることになりかねない。

● 結論：中国の侵攻部隊を叩く

　これらを踏まえて、ドーエリー研究員のレポートはとにかく「初動においては米軍の来援が到着するまでの時間を稼ぐ」ことが重要だと強調する。そのためには同盟国（台湾）が崩壊しないよう、まずはA2/AD兵器ではなく、中国の攻撃能力から叩くべきだと指摘する。

　具体的には開戦からの3日間で中国軍の高価値な目標300個を攻撃できる能力を保持することで、初動で中国に圧倒されて敗退することは避けられるという。とにかく中国による第1撃で域内の米軍も同盟国も崩壊してしまうことだけは避ける。そのうえで来援が本土から到着するまでの時間を稼ぐべきだという。

　これまでの議論から読み取れるのは、米国の軍事専門家の間で中国によるミサイル攻撃は先制攻撃に使われるであろうこと、そしてその規模は同盟国を屈服させるに充分なくらい苛烈なものとなるだろうと、深刻に受け止められていることだ。

　地域内の米軍も同様に機能停止に追い込まれるほどの苛烈さであり、初動においていかに戦線を崩壊させないか、に焦点が集まる。最低でも300の目標に対する攻撃力を維持せよ、という提言の目的は、積極的な攻勢というよりは、中国の苛烈な攻撃の足を少しでも止めるための積極的な防御にあるのだろう。つまり氏は「死なずに済ませるための最低限の抵抗をできるようにしておこう」と言っているのだ。

　いずれにしてもドーエリー研究員の立場を要約すると、米軍はたとえ限定的であっても中国本土周辺や台湾侵攻部隊に対して戦力投射（攻撃）すべき、という立場だと言えよう。

どのように中国の侵攻能力を叩くのか

　では、その攻撃はどのように実行できるのか。そもそも戦力投射の重要なプラットフォームとなる艦載機と空母が攻撃可能範囲内に進出できなければ、戦力を投射しようがないのではないか、という根本問題に立ち戻ってきてしまう。

● 原則は制海だが

　これについて、海上自衛隊の後潟桂太郎2佐は、自身の『海洋戦略論』の中で「そのような状況下で領域拒否圏の外から遠距離攻撃を企図したとしても、距離の専制によって戦力投射（攻撃）の効果は距離に反比例して減少する」こともあって、「制海を回復することに高い優先順位が置かれる」だろうという軍事の一般原則を紹介している。

　つまり、攻撃位置にもつけない状況である以上、やみくもに遠距離から攻撃を仕掛けても効果は薄いので、まずは自分が攻撃位置につけるよう、行動の自由を確保する制海に力が置かれるのが自然だと指摘している。

　攻撃をする前に、攻撃するための足場を固めるというのは一般原則として正論だ。制海が「一定海域において敵を排除して自己の行動の自由を確保すること」だとすれば、米空母の行動の自由確保のためには敵潜水艦や敵艦隊の排除、敵航空機による接近を阻止することが必須となる。ただし、問題はASBMが潜水艦や水上艦艇よりも圧倒的に遠方から火力を投射してくる点にある。

　攻撃のリーチが数百キロ程度の水上艦艇や潜水艦であれば、一定の海域を面で制海することで排除することは想定できるが、1500キロ彼方の中国本土から飛来してくるASBMを「制海」あるいは「制圧」するには中国本土にある発射台ごと破壊するか、ASBMを支える宇宙アセットを減殺するしかない。いずれにしても中国本土への縦深攻撃（Deep Strike）をどうするのか、空母ではそれが担えないのであれば、どうするのか。危険があっても空母を投入するのか、という元の命題に戻ってしまう。

● 空母を活かすには？

　議論を進めるために、長距離打撃力を提供できるプラットフォームは今後も空母が担うしかないと仮定するならば、その空母の行動を阻害するASBM（巡航ミサイルも）を排

除しなければ、空母は戦力をフルに発揮することはできない。それには中国本土への縦深攻撃が必須となる。

だが、もし縦深攻撃が現実的なオプションでないとしたら、せめて縦深攻撃以外の手段によってASBMが空母におよぼすリスクを許容可能なレベルにまで減殺することが最低条件となるだろう。縦深攻撃が事実上不可能である以上、リスクはゼロにはできない。それなら他の方法で、リスクはあるものの空母による一定の戦闘行動が可能になるくらいまでリスクを低減させる、つまりASBMの効果を減殺させる努力が必要となる。

その減殺ができなければ、A2/AD兵器攻撃も、攻勢的作戦もままならず、いつまでも反攻に出る余地は生まれない。

┃ミサイルへの対抗手段① 先端技術という長期的取り組み

では、米軍はASBMや巡航ミサイルによる空母への攻撃にどう対処しようとしているのか。どのようにASBMの効果を減殺させようとしているのか。

● 敵ミサイルの射耗を狙う

ASBMの効果減殺にあたっては、ミサイルからの防御手段を確立することで敵に対して、攻撃効果のないミサイルの消費（射耗）を強要し、最終的には戦意の喪失を誘うアプローチが有効となる。

いくらリソースが豊富な中国であっても、ASBMを無尽蔵に発射できるわけではなく「在庫の量」を気にしながら使用することになる。攻撃効果が出ていないと判断すれば「残弾ゼロ」を避けるためにも、攻撃を中断することが考えられる。

では、肝心の防御手段はどうするのか。米軍の取り組みでキーワードになるのが、「既存技術」や「先端技術」だ。前者は短期的に今ある技術をベースに当座をしのぎ、後者は長期的な開発努力によって新技術で問題解決をはかるというものだ。

● 先端技術としてのレーザー

ミサイルに対する防御手段となる先端技術の筆頭として開発が進められているのがレーザー技術だ（**図2-23**）。

レーザーによる迎撃の最大の利点は、1発あたりのコストがわずか1ドル（10秒間照射）と圧倒的に低いことだ。理論上は電力が供給される限り、迎撃ミサイルとは違って弾切れを心配することなく発射（照射）が可能となる。

　また、弾切れという制約がなくなれば、迎撃ミサイルに割いていた垂直発射装置（VLS*）を攻撃用のミサイルの増量に振り向けることもできる。防御用の迎撃ミサイルが主だった武装が、攻撃用のミサイルの増量により攻撃力強化型となり得る。ミサイルの補給、再装填が不可能な水上艦艇にとっては弾切れの心配がなくなることは、こうした画期的な効果をもたらす。

▼**図2-23**：ロッキード・マーチンが米海軍と開発しているレーザー兵器HELIOS（High Energy Laser with Integrated Optical-dazzler and Surveillance）は、アーレイ・バーク級ミサイル駆逐艦への搭載が計画されている

（出典　ロッキード・マーチン社）

● 防御志向の米海軍

　実際、近年の米海軍は攻撃ではなく防御中心だと言える。米イージス艦のVLSに装てんされているミサイルを見ても、大半はSM-2対空ミサイルといった敵のミサイルを撃ち落とすための迎撃ミサイルであり（既出の**図2-2**参照）、敵の地上目標を攻撃するトマホーク巡航ミサイルの装てん数は多くても10発〜20発程度、対艦ミサイルのハープーンも最大8発だ。

＊VLS：Vertical Launching System、垂直発射装置

このことが米海軍を心理面で防御志向に陥らせると共に、能力面でも打撃力不足にさせている要因であると言われてきた。弾切れの心配がないレーザー兵器の登場により、攻撃能力への投資が可能となれば、心理面、能力面において攻撃志向に転換できる契機となるかもしれない。

このほかにもレーザーの利点として正確な照準が容易なことや、光の速度で飛ぶためリードタイムが短くても脅威に対処可能なことが挙げられる。

● 実用化への課題

他方で、実用化に向けては、まだ課題が多いのが現実だ。

直線的に照射されるレーザーは屈折させることができない。一方のミサイルは迎撃を回避しようと複雑な機動を行うため、レーザーの直線的な照射ではミサイルを捉えにくい。そうなると、実際の運用では複雑な機動を終えたミサイルが直線的な飛行に入った最後の段階、つまり10海里程度の見通し線以内でしか、事実上、対処できないことを意味する。

レーザーは目標ミサイルの重要なコンポーネント（誘導装置など）を焼き切ることで無力化することから、目標箇所のスポットに正確に一定時間、レーザーを照射し続けなければならない。破壊効果を得るには目標のミサイルのどこでもいいというわけにはいかないのである。照射箇所を間違えれば、ミサイルの動きを無効化させる効果は得られなくなってしまうため、目標ミサイルのどの部分が破壊すべき心臓部分か、というインテリジェンスも必須となる。

レーザーの照準も高度なレベルとなる。超音速で飛翔するミサイルの特定部分にピンポイントでレーザーを正確に照射し続けることは、レーダーとの同期も必要となるからだ。

運用上の難点となるのは悪天候に弱いという点だろう。見通しが悪くなる悪天候下では、レーザーの見通し可能な範囲が狭まるほか、雨や雲によってレーザーが歪められることもある。そのため現時点では完全に迎撃ミサイルを代替できる全天候型の防御手段にはなり得ていない。

また、レーザーは対抗措置にも弱い。反射鏡などによってレーザーは拡散させられてしまうし、照射する目標が回転していると、レーザーの照射効果が弱められてしまう。

● 出力の問題①

そして、現在の最大の技術的課題は、巡航ミサイルや弾道ミサイルを無力化できるレベルの出力の実現にはまだ至っていない点だ。特に冷却装置がボトルネックになっていると言われ、現時点における最大出力は500キロワットクラスにとどまっているとされる。

表2-3に示すように、UAVやロケット弾の迎撃に必要な出力と比べて、ミサイル迎撃には大きな出力が必要とされる。最低でも500キロワット、できれば1メガワットの出力が必要とされているが、500キロワットの壁を破れるメドは、いまだに立っていない。

▼表2-3：各種目標の無力化に必要なレーザーの出力

出力（単位：ワット）				
～10kW	10～90kW	100kW	500～999kW	1MW
無人機（UAV）				
	ロケット弾、火砲、迫撃砲			
	小型艦艇・トラック			
			ミサイル	

(出典　ジェーン (Jane's))

なぜミサイル迎撃には高出力が必要になるのかというと、音速や超音速で飛ぶ巡航ミサイルや弾道ミサイルを無力化するには、弾頭に搭載されている誘導装置をレーザーで焼き切ることになる（burn through）。

しかし超高速で飛ぶミサイルは本来、大気との摩擦によって発生する熱に耐えられるように弾頭の強度が強化されている。その強化された弾頭を射抜くには高出力でなければならないのだ。

● 出力の問題②

弾頭を射抜くのに十分な出力を得られない場合は、比較的脆弱とされるミサイルの側面部分をレーザーで貫通させることになるが、ミサイルに正対する形での迎撃ではなく

ミサイルと平行する位置にいなければならない。そうなるとレーザーを照射する艦艇はミサイルに狙われている艦艇ではなく、ミサイルと平行する位置にいる別の僚艦がミサイル側面を見ながらレーザーを照射する格好になる。

　つまり現状の技術レベルでは、艦艇が自己防御のために自艦からレーザーを照射して迎撃することは事実上できないということになる。ミサイル側面を狙える位置にいる僚艦しか迎撃任務は担えないということを意味する。高出力レーザーの開発が実現した時になって、初めてレーザーを正面から照射する自艦による個艦防御が可能となるだろう。

● レーザーの開発状況

　米海軍の開発状況は、34キロワットのビーム照射実験でUAVへの対処に成功しているほか、「シーセイバー」(Seasaber)と呼ばれる60キロワットクラスの敵のセンサーに対する妨害装置の開発を進めている。このほかにボーイング社が60キロから100キロワットを、ノースロップ・グラマン社が150キロワットクラスの開発を進めていると言われている。

● レールガン

　このほかにレールガンと呼ばれる、火薬ではなく電気で発生した磁場の力で発射体を発射する兵器が研究開発の途上にあり、電磁砲や電磁レールガンとも呼ばれている。マッハ6の高速で弾を発射することが可能で、射程も100海里ほどと、従来の艦載砲よりも高速かつ長射程である点が特徴だ。

　他方でレールガンは大容量の電力と蓄電システムを必要とすることから技術的な難易度が高いとされている。

　そのため、現行の火薬を使った艦載砲がレーザー兵器に置き換えられるのは早くても30年後になるとの見方もある（米議会調査局ロバート・オルーク氏による議会報告書、2017年10月）。

▌「矢より弓を射よ」

　米軍が開発を進めるレーザーやレールガンは確かに迎撃効果の高さが期待できるうえ、これまでの常識を変えるメリットも多々ある。

　しかし、レーザーやレールガンは先端技術ではあるものの、飛来するミサイルを1つ1つ、地道に撃墜していく防御方法である点では既存の迎撃技術と変わらない。迎撃方法が機関砲や迎撃ミサイルだったのがレーザーに置き換わるだけという言い方もできるだろう（**図2-24**）。

　この迎撃方法の問題点は敵がミサイル攻撃をやめない限り、いつかは撃ち漏らしが発生して損害を被るリスクがあることだ。相手方がミサイルを発射すること、つまり攻撃を続ける限りは、迎撃のループは回り続けて、そのループはいつか被弾という形で終わりを迎える蓋然性をどうしても除去できない。

▼図2-24：水上艦艇が持つ巡航ミサイルに対する防御手段

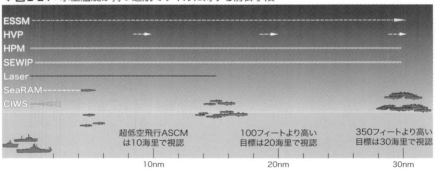

ESSM：Evolved Sea Sparrow Missile、「シースパロー」の後継としてレイセオン社が開発した艦対空ミサイル。「発展型シースパロー」。
HVP：Hyper Velocity Projectile、超高速飛翔体（レールガンと組み合わせる）
HPM：High Power Microwave、高出力マイクロ波
SEWIP：The Surface Electronic Warfare Improvement Program、電子戦装置AN/SLQ-32 ECM（Electronic Countermeasures）システムの改善プログラム
ASCM：anti-ship cruise missile、対艦巡航ミサイル

（出典　CSBA（戦略予算評価センター））

● 有効射程が問題

　実用化されれば、レーザーは射程が長くて20海里、レールガンは100海里程度になると見られている。後者のレールガンは光速のレーザーと比べて低速であるほか、ミサイルのように目標に向かっていく途中でコースを変更できる機動ができない。そのためレーザーと同様に直線的にしか攻撃できないという問題点があり、結局レールガンが動く目標に有効なのは30海里が限界だとも言われる。

　中国の対艦ミサイルYJ-12（**図2-25**）を例に考えてみよう。マッハ3.5のYJ-12が艦隊から30海里の距離まで接近してきたとする。おそらく同時に飛来する敵ミサイルは1発ではなく、20発～30発以上の複数となるだろう。マッハ3.5は47秒で30海里を飛ぶので、仮に撃ち漏らせば、そのあとは着弾まで47秒ほどしかないことになる。

　47秒しか残りがない中で、まだ数発以上のYJ-12が残っていたら、レーザーやレールガンで撃墜できるだろうか？　前述の通りレーザーは、超音速で突っ込んでくる敵ミサイルの弾頭に正確に一定時間以上、照射し続けなければ破壊効果は得られない。

▼**図2-25**：中国の対艦ミサイルYJ-12

(出典　China Military Online)

もちろん、レーザーは光速であるため、瞬時に照射される。しかし、

- 超音速の敵ミサイルを捕捉し続けるレーダー
- レーダー情報を高速で処理できる演算装置
- 最適な迎撃手段を選択して、人間の手を介さずにシステムが迎撃を進めるAI（人工知能）による自動運転（Auto Pilot）機能

が不可欠となるため、現在の技術では対処能力が飽和する可能性が高い。

　総重量およそ2トンのYJ-12が直撃すれば、米空母といえども機能停止に追い込まれることは確実だろう。戦闘に参加できない空母は中国にとってみれば撃沈したのと同じ効果となる。

　いくら迎撃手段が高度化しても1発1発、超音速で飛来してくるミサイルを撃墜しようとする対処方法は、レーザーであろうが、レールガンであろうが、いつかは防御の限界を迎え、被弾を許してしまう。

● 悪循環を断ち切る答え

　この悪循環から抜け出す答えが「飛んでくる矢を落とすのではなく、矢を飛ばす弓を攻撃しろ」というアプローチだ。つまりミサイルを1つ1つ撃ち落とすのではなく、ミサイルを発射する母機を発射前に攻撃する方が高効率だという考え方だ。

　そのため米海軍はより長射程のミサイルを使って、敵がミサイルを発射する前に、敵をアウトレンジして攻撃できる能力を追求しようとしている。劣勢に立たされていた「長射程競争」で巻き返しに出た格好だ。

▌ミサイルへの対抗手段②　技術改良という短期的取り組み

　新技術の開発という長期的取り組みと並行して米軍は、当面の対応として、新規開発よりも時間がかからない既存技術の改良によって能力不足を補おうとしている。

　具体的には既存のミサイルを改良してさらに射程を伸ばしたり、別の用途に転用可能

にして高性能化させるやり方だ。ゼロからの新規開発は時間もコストもかさむことから、既存技術を改良することで迅速に新たな能力を獲得しようという現実的アプローチだ。

● 長射程対艦ミサイル（LRASM）

　その1つが、ロッキード・マーチン社製の長射程対艦ミサイル「LRASM」（Long Range Anti-Ship Missile）だ。LRASMは前述の射程が短い欠点があるハープーン対艦ミサイルを代替するもので、米空軍が運用している巡航ミサイルJASSM-ERを対艦攻撃用に改良したものだ。JASSMという既存の技術に若干の改良を加えることで大きな能力上の飛躍をもたらすもので、米軍がとっている現実的アプローチの代表例と言っていいだろう。

▼**図2-26**：LRASMのイメージ

(出典　ロッキード・マーチン社)

　その特長は射程の長さと非探知性、そして自律性にある。射程は最大で500マイルと言われ、ハープーン改良型の67マイルから大きく改善されている。攻撃を逸らそうとする敵による電波妨害にも強いとされる。レーダー反射と熱の放射が抑えられているため、レーダーやIRセンサーなどで探知が困難になっているという。

　LRASMは一定の自律性も備わっていると言われ、敵のレーダーを探知すると探知範囲を避けるためのコース変更をしながら目標に向かっていく。これだけの長距離を飛翔

しても、目標には3メートル以内の誤差で着弾できるという。米海軍はこのLRASMを2025年までに210発、調達しようとしている。

　ちなみにLRASMの前身であるJASSM-ER（射程500海里）をさらに延伸させたJASSM-XR（Extreme Range）型（射程1000海里）の開発も完了していて、こちらは米空軍が2021会計年度に40発を調達予定だ。XR型はB-1B爆撃機に搭載される予定で、これによって米海空軍は中国のA2/ADバブル外からアウトレンジできる長距離精密攻撃（対艦攻撃、対地攻撃）能力の整備を始めたことになる。

● トマホークの改良

　既存技術の改良例は、トマホーク巡航ミサイルにも当てはまる。これまで陸上の固定目標だけに限られていたのを、海上の移動目標も攻撃可能に改良したMST（Maritime Strike Tomahawk）の開発が進められていて、米海軍は2023年の実戦配備を目指している。海上版トマホークは射程1600キロと長大で、2025年までに451発の調達をはかる方針だ。

▼図2-27：海上版トマホーク「MST」（Maritime Strike Tomahawk）

（出典　レイセオン社）

　これらに加えて、前述したように、既存の対空ミサイルをベースに開発した、対艦攻撃に転用可能なSM-6対空ミサイル（**図2-5**参照）の調達も進められている。2025年までに合計775発を導入予定だ。

　また、元々はノルウェーのメーカーが開発したNSM（Naval Strike Missile、対艦ミサイル）の導入も進んでいる（**図2-28**）。NSMは射程180キロ余りだが、電波を発しないためステルス性が高く、敵に探知される可能性が低い。またランチャーはコンテナ船や、沿岸戦闘艦（LCS[*]）といった小型艦艇にも搭載可能なのが特徴だ。2025年までに189発が調達予定となっている。

▼**図2-28**：対艦ミサイル「NSM」（Naval Strike Missile）

（出典　レイセオン社）

　このように、既存技術の改良を活かした新型対艦ミサイルの調達を進める動きには、とにかく一刻も早く、広がった中国海軍との能力ギャップを埋めなければならないとする米海軍の危機感が反映されている。

　中国海軍が「長射程競争」でリードする中、上記のLRASM、MST、NSMの各種対艦ミサイルとSM-6を合わせれば、2025年時点に米海軍は合計1625発の対艦攻撃可能なミサイルが揃うことになる。

＊LCS：Littoral Combat Ship、沿岸戦闘艦

▋模索されるＡ2/ＡＤ環境下における空母運用のあり方

しかし、対艦ミサイルの充実だけでは十分ではない。

これまで議論してきたように、A2/AD兵器に対する打撃を優先させるのか、侵攻部隊に対する攻撃を優先させるのか、という命題は別としても、米軍が自由に作戦行動をとれるようになるには、中国のA2/AD能力を完全に無力化とまでいかずとも、許容可能な程度までに減殺（degrade）させる必要がある。それは中国海軍の艦艇への攻撃だけでは実現しない。

中国本土に所在する弾道ミサイルの移動発射台のほか、ミサイル運用を支えている指揮通信機能、宇宙関連施設、レーダー、長射程の地対空ミサイルなどへの攻撃がどうしても必要となってくる（**図2-29**）。

▼**図2-29**：中国本土の宇宙関連施設とそれを防護する地対空ミサイル網

（出典　CSBA（戦略予算評価センター））

　中国の巡航ミサイルや弾道ミサイルの移動発射台を無力化しようとすれば、必然的に防空網が濃密な中国本土への接近、侵入が必要となってくるが、いくら艦載機のF-35がステルス機であっても高密度のA2/ADバブル内で反復攻撃を繰り返せば消耗は避けられない。

　反復攻撃を可能とするには、何とか許容可能なレベルにまで消耗を抑えなければならない。そうなると人的犠牲を伴う有人機以外の手段が有力となる。

　巡航ミサイルによる攻撃という手段もあるが、トマホークは破壊力が足りないという欠点がある。例えば2017年4月に米軍はトマホークを54発、シリア空軍基地に発射しているが、広い滑走路を擁する航空基地には有効打を与えることはできず、翌日には空軍基地が機能を回復している。

　そのため結局は巡航ミサイルよりも多くの火力（爆弾）を運搬できる航空アセットを利用するしかない。

● 無人機の活用

　ただ、そうした危険な攻撃任務を有人機だけに担わせるのには政治的ハードルが高いため、使い捨てが可能な無人機を有人機と組み合わせたり、無人機だけの編隊を使うことが議論されている。その運用にあたってはスワーム（Swarm）技術や人工知能（AI）などの先端技術もカギになるが、それはAIを扱う**第4章**で詳述したい。

● 無人戦闘攻撃機（UCAV）の例

　そうした議論の具体例として、かつて米シンクタンクのCSBA（戦略予算評価センター）は、敵A2/AD圏内に単独で進入したり、有人機と協同して長距離攻撃を行うこともできる空母搭載型の無人戦闘攻撃機（UCAV：Unmanned Combat Air Vehicle）を提案していた。UCAVは、航続距離3000海里と長大であるため、運用母体である空母をA2/AD圏外（ASBMの射程外）の安全圏に留まらせることができるとしていた（**図2-30**）。

▼**図2-30**：空母から発進したUCAVが有人機と共に長距離攻撃（黄色部分）を行うコンセプト図

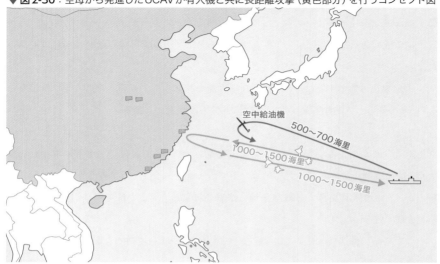

空中給油機

500〜700海里

1000〜1500海里

1000〜1500海里

（出典　CSBA（戦略予算評価センター））

　航続距離の長い無人機が、危険な任務の肩代わりも、空母の安全確保も実現してくれる、という一石二鳥なコンセプトだった。

　同時にこのコンセプトは、空母を脆弱にしているASBMといった長射程ミサイルによるA2/AD兵器に対する対抗手段であると共に、A2/ADの登場によって揺らいでいた「米国流の勝ちパターン」を再定義する軍事的裏付けでもあった。

　言い換えれば、存在意義を問われ始めた空母の必要性をもう一度、軍事的に裏付けてくれる作戦コンセプトでもあり、空母不要論を嫌う米海軍にとっては救世主となるものだった。

　しかし、それは米海軍にとっては「贔屓の引き倒し」にも、パンドラの箱を開けることにもなり得る要素を含んでいた。無人機の活用は空母の有用性を守ることはできるものの、艦載機のパイロット不要論につながりかねなかったからだ。

● MQ-25の意味

　結局、米海軍はこのコンセプトを却下し、別の空母搭載型UAVの試験運用を進めている。米海軍が採用した無人機MQ-25（**図2-31**）は、CSBAが提案していた長距離攻撃任務ではなく、有人機に対する空中給油任務を行うことが想定されている。

▼図2-31：米海軍が試験中のMQ-25

（出典　ボーイング社）

　攻撃任務を肩代わりしてしまうと有人機不要論、パイロット不要論を招きかねないが、有人機を支援する任務であれば有人機不要論にはならない。空母中心主義、艦載機パイロット優位の組織文化を持つ米海軍にとっては、有人機の存在意義を左右しかねないUAVの本格導入は組織維持の観点から時期尚早なのかもしれない。

　ただ、軍事的合理性で言えば、空母からUAVを発進させて危険な攻撃任務を担当させるのが合理的であることは間違いない。

　今後は組織防衛ではなく目的合理性に基づいて米海軍が、A2/AD環境下において空母の生存性をいかに確保しながら中国のA2/AD能力を減殺させるのか、という本質的な問いに対する答えを見い出していけるかどうかが問われていく。

■ミサイルへの対抗手段③　新たな戦い方の模索

　対艦弾道ミサイルや超音速巡航ミサイル、濃密な地対空ミサイル網が幾重にも重なりあう濃密なA2/AD環境下において、虎の子の空母をどう運用するのか、A2/AD減殺にどう活用していくのか。

　この問いに対して米海軍が出した、現時点の答えは艦隊の「分散」だ。

● 分散型海上作戦（DMO）

　米海軍は、分散型海上作戦（DMO：Distributed Maritime Operation）という新たな戦い方を打ち出すことで、空母や艦隊を危険にさらすミサイル脅威に適応しようと試みている。

DMOの詳細は公開されておらず、一部の同盟国だけに機密版が共有されているだけで、その全容を知ることはできない。限られた情報だけで、その内容を推測すると、DMOは「分散」(Distributed)という言葉の通り、艦隊を小さな単位に分けて「分散」させることを柱にしていると見られる。

　これまでの多数の艦艇で構成される空母打撃群では敵に発見される可能性が高く、ASBMや対艦ミサイルの飽和攻撃（集中攻撃）に対して脆弱であり、場合によっては艦隊の大半が無力化される恐れすらある。
　その欠点を補うために、艦隊を小さな単位に分けて分散し、敵の偵察や情報収集活動を複雑にさせて発見されるリスクを低減しようというのが狙いだ。

● 欺瞞の重要性
　DMOでは、欺瞞といった、敵から発見されにくくするための措置の重要性が強調されている。電波封止や商船に偽装させる灯火の実施のほか、電子戦装置AN/SLQ-32を利用した、敵のレーダー上に実在しない目標を電子的に表示させる電子戦（**図2-32**）などによって、敵の攻撃を逸らしたりすることが目指されている。

▼**図2-32**：自艦の位置を欺瞞して攻撃を逸らす電子戦のイメージ

　分散や欺瞞などで生き残りをはかると同時に、攻撃能力の確保、維持も意識されている。その役割を果たすのが先ほどの対艦ミサイルLRASMやSM-6といった長射程のミサイルだ。欺瞞という守りと長距離打撃力という攻撃の両方が柱になっている。

● SM-6の意味

　特にSM-6対空ミサイルは、DMOの実現を支える重要な兵器だ。巡航ミサイルの迎撃だけでなく、その長射程を活かして敵の艦艇に対する攻撃や、場合によっては対地攻撃にも使える。つまり、攻撃と防御両方に使える、多用途ミサイルという点が大きな意味を持つ。

　これまで艦搭載のミサイルは迎撃ミサイルが大半を占めている関係上、どうしても防御中心となり攻撃力、打撃力不足が指摘されていたが、攻撃にも迎撃にも使用できるSM-6対空ミサイルはこの問題を解決してくれるミサイルとして強い期待が寄せられている。

　分散は攻撃においてもメリットがあるとされる。例えば分散した艦隊は敵を複数の方向から攻撃することも可能となるため、敵の防御を飽和させて攻撃効果が上昇することが期待できる。

　DMOが守りと攻めの両方を柱としていることを考慮すれば、米海軍はA2/AD環境下においても生存性を確保しながら攻勢に出ることを想定しているものと見られる。言い換えれば、米海軍の作戦コンセプトDMOはA2/ADに米艦隊が跳ね返されるのではなく、リスクをとって敵の勢力圏に入り込んで戦う、という意思表明とも理解できる。

　だが、このコンセプトに対しては戦術面からその実現可能性に対する厳しい批判が出されているのも事実だ。

● DMOへの批判①　補給

　まず、艦隊が複数に分散すれば、補給活動も複雑となる問題だ。大きな単位である空母打撃群であれば、補給艦も同時に複数の艦艇に対する補給を効率的、迅速に済ませることができる。場合によっては補給艦を空母打撃群の防御網の下に組み入れて行動を共にすることも可能だ。

　しかし、分散した小規模の艦隊では、自艦の防御で手一杯であり補給艦を随伴しながら防護も提供することは非現実的だ。そうなると、一切、武装がない無防備な補給艦が

十分な防護が受けられない環境での補給を余儀なくされることになる。

● DMOへの批判② 火力の分散

　そもそも艦隊を分散させるということは、「兵力の集中」という軍事の大原則に反する
ものだ。米海軍は攻撃、迎撃の両方の能力を持ったSM-6ミサイルを各艦艇が搭載して
いることに自信を持っている節があり、艦隊の分散は「兵力の分散」に当たるが「火力の
分散」には当たらない、つまり攻撃力の分散にはならないので支障はない、という考えの
ようだ。

　だが、それは分散した兵力があくまで有機的に連携できれば、という条件がつく。分
散した艦隊は妨害に強い指向性が高い衛星通信を利用して、ネットワークを形成するこ
とになる。それによって自分が見えていない範囲も他の艦艇が捉えている情報を衛星通
信で共有して認識することができる。

　攻撃においても、ネットワークでつながっていれば、「エンゲージオンリモート」
（Engage on Remote）と呼ばれる方式で、自分は目標を捉えていなくても僚艦やF-35ス
テルス戦闘機、E-2D早期警戒機、AWACS早期警戒管制機、UAVといった各アセット
が捉えた目標の情報をリレーしてもらうことによってミサイルを発射することができる。

▼**図2-33**：ネットワークでつながった海上戦闘のイメージ

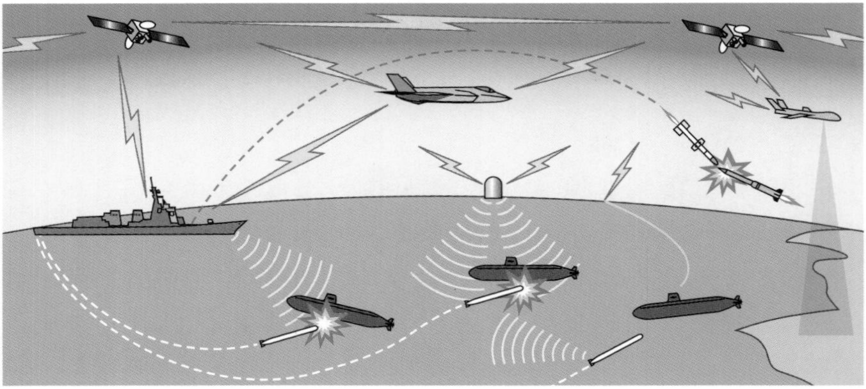

（出典　米海軍ジョン・ヒル提督作成）

ネットワークでつながりながら戦力を分散させて広がることで敵の攻撃からの生存性をはかりつつ、同時により遠くの敵を各小艦隊がそれぞれ攻撃することができる。

だが、肝心のネットワークが何らかの理由で断絶した時は、一転して悲劇となる可能性がある。衛星通信や戦術データリンクからの情報を受けることができなければ、自分のセンサーが届く範囲しか見えなくなり、状況認識の質と範囲は著しく低下する。

そこにあるのは、航空機や艦船に搭載のオンボードセンサーだけを頼りに敵がどこにいるか探らなければならない、孤立した小艦隊だ。

自艦のレーダーで相手を探すという意味では中国海軍と同条件となるが、前述の通り中国海軍の対艦ミサイルの方が高速で長射程である分、米海軍は不利となる。場合によっては分散孤立した小艦隊は各個撃破されることになりかねない。

いかにDMOが、つまり米海軍の戦い方がネットワークを安全に使えるという前提に依存しているかがわかる。裏を返せば、ネットワークが使用できない場合は危機的な状況に陥る危うさを秘めているということになる。

● DMOでの空母の運用は？

そして肝心の空母についてもA2/AD勢力圏内に突入させるのか、突入させるとしたら護衛をつけた既存のCSG形態をとるのか、それとも少数の艦隊に縮小運用するのか、そうでないのであれば空母は遥か後方のA2/AD圏外の安全圏で温存して、イージス艦などの水上艦艇だけが小艦隊で分散されるのか、不明な点が残されている。

空母を分散投入するにしても、後方で温存するにしても課題は残される。空母打撃群（CSG）や小艦隊で分散投入する場合、空母は大型のため、光学衛星やレーダーなどの複数のセンサー網によって発見されやすい。多数の小型衛星で構成する「メガコンステレーション」（**第3章**で後述）の時代に入れば、全地球的観測ネットワークが構築されることになり、ますます被探知性は高まるだろう。

他方で、後方で温存することになれば空母は戦闘に参加できないことを意味し、それは事実上の戦力外通告となる。空母の不在は深刻な打撃力不足だけでなく、米軍部隊の

自衛能力を大きく損なうことになるだろう。グレーゾーンであれば空母の不在は米国の影響力および抑止力の低下につながり、高烈度の通常戦争においては域内米軍の後退と反攻の遅延を意味し、その間に敵に対して戦略目標達成の時間を与えることにもなりかねない。

　結局は、空母の生存性を一定程度、確保しながら、A2/ADの減殺をいかに達成するか、という根本問題にDMOも完全には解答しきれていないということを意味している。

　果たして今後、米海軍は答えを出すことはできるのか。唯一、ハッキリしているのは、どんな装備や技術や作戦コンセプトで備えようとも、質量で追い上げる中国海軍との戦闘は血みどろの戦いになるであろうということだ。

▌「懸念すべき10年」

　これまで議論してきたいくつかの戦術レベルにおける中国海軍の追い上げの現状を、中国の国内政治とクロスさせて考えてみると、興味深い戦略的示唆が見えてくる。

　それを指摘するのは、現役時代に15年以上にわたって米太平洋軍で中国海軍の動向を分析してきた前述のファネル元大佐だ。元大佐は、軍事能力の向上が中国に自信をつけさせ、対外的な懸案を軍事力によって解決しようとする動きを強めると警告する。

● 2049年

　中国の習近平国家主席は「中華民族の偉大なる復興」を強調しており、それは政治的スローガンという建前を超えて、必達の政治目標にも近いものになりつつある。

　「中華民族の偉大な復興」をはかること、つまり台湾を取り戻すことは我々日本人をはじめとする外国人が考える以上に中国の政治指導者にとっては、取り組むべき政治的課題になっていると理解すべきだろう。

　その「中華民族の偉大な復興」にとって大きな節目となるのが、新中国建国100周年にあたる2049年だ（**図2-34**）。

▼図2-34：中国の懸念すべき10年

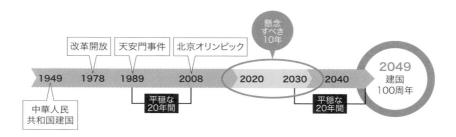

（出典　ファネル元米海軍大佐）

　中国から見れば、この年までに「中華民族の復興」を完了させておかなければ、2049年を祝うことはできない。となると問題は、その2049年までの間の、どの時点で中国が「台湾併合」に動くのか、となる。

● 2020年〜2030年

　ファネル元大佐は、2020年から2030年までの10年間が、中国が台湾に対する武力行使に踏み切る可能性が最も高まる「懸念すべき10年」（Decade of Concerns）だと指摘する。

　その根拠は、20年間という冷却期間で、その起点となるのは1989年の天安門事件だという。89年に天安門事件で世界的に孤立した中国だったが西側諸国は、そのおよそ20年後の2008年の北京五輪では友好ムードに戻っていた。その例を踏まえれば、武力行使や紛争によって極度の関係悪化を招いたとしても、20年間の冷却期間を経ればおのずと関係は正常化される、と中国は計算しているという。

　つまり、中国にとっては世界からも祝福されていなければならない2049年の建国100周年を正常に執り行えるようにするには、世界との関係が悪化する武力行使や紛争はその20年前、つまり2030年までに完了しておかなければならないということになる。

● 不安定化を加速する先端技術開発

　こうした国内政治の事情に加えて「懸念すべき10年」をさらに不安定なものにするかもしれないのが先端技術だ。

　先端技術は社会を大きく変え、莫大な経済的利益をもたらし、軍事的優越をも可能とするポテンシャルを秘めている。

　これらの実用化で先行することは戦略的優位を決定的に左右すると言われる中、いま米中戦略競争は軍事領域だけでなく、AI、宇宙アセット、そして極超音速兵器（Hypersonic Weapon）といった先端技術の開発というフィールドでも激化しつつある。

3

宇宙ドメインでの
米中戦略競争

▌中国人による密輸事件

2019年8月21日、ハワイのホノルル国際空港。

香港行きの便は出発しようとしていた。

　33歳の中国籍の男、ペンギ・リ（Pengyi Li）は、搭乗口に向かおうとするところを米国土安全保障省（DHS*）のHSI*所属の特別捜査官たちに取り押さえられた。リが香港に違法に持ち出そうとしたカバンにはUT28F256QLEと呼ばれる高性能のメモリー装置と、HS-4080ARHマルチプレクサと言われる多重変換装置が入っていた。2年がかりの捜査の末、米当局によって中国による諜報事案が摘発された瞬間であった。

　いずれも、放射線が降り注ぐ過酷な環境でも動作できるよう防護された高性能な製品、つまり宇宙空間での応用が可能な高度な技術が反映された衛星の主要部品で、2013年米国防権限法によって中国への輸出が禁じられている。

　このほかにも、中国による米国の衛星用高性能電子部品の密輸事件は後を絶たない。

　2013年にはARS-14 MHD角速度センサー、2014年にはQA3000-10加速度計、2015年にもQA3000-10加速度計を、違法に中国に持ち出そうとする事案が摘発されている。

　ARS-14 MHD角速度センサーは、人工衛星などの精密な姿勢制御などに用いられ、加速度計は衛星の航法に使われる。どれも衛星の運用には不可欠となる先端技術の結晶と言える。

▼**図3-1-1**：QA3000-10加速度計

（出典　ハネウェル社）

▼**図3-1-2**：ARS-14 MHD角速度センサー

（出典　ATA社）

　いずれの事件も、中国側のバイヤーからの接触を受けたメーカーの通報に基づき、米当局が囮捜査によって受け取り役を米国内で身柄拘束している。主犯格のバイヤーは姿を現さず、契約で雇われた受け取り役だけが逮捕されるため、黒幕の実態は明らかにならないというのが共通するパターンとなっている。

　中国が衛星の運用に不可欠の高度な精密機器を入手しようと試みる背景には、高品質な部品の製造技術をまだ獲得できていない現状と、そして宇宙進出を目指す飽くなき国家的意志がある。

　今、宇宙は、国家を挙げて先端技術を投入しながら米中が戦略競争を繰り広げる舞台になっており、そう遠くない将来、宇宙戦が行われるかもしれない戦闘領域に変貌しつつある。

▍地球派と深宇宙派

　宇宙における活動は大きく、2つのカテゴリーに分けて理解することができる。

　ブラウンウォーター（Brown Water）とブルーウォーター（Blue Water）である。

　どちらも、活動範囲に応じて海軍のタイプをカテゴライズする用語だ。ブラウンウォーターは、陸地近くの海域が土に近い茶色ということから、陸地近くで活動する沿岸型海軍を指す。

　一方のブルーウォーターは文字通り、青色の大海原を意味して沿岸ではなく外洋で活動する遠征型海軍を指している。

● 地球派（ブラウンウォーター）

　これを宇宙での活動に当てはめると、ブラウンウォーターにとって陸地は地球となる。つまりBrown Waterの宇宙利用は地球近くの宇宙空間で活動し、地表における活動を支援するために宇宙アセットを活用するアプローチを指す。一般生活において耳にする宇宙利用の大半は、この地球近くでのブラウンウォーターの宇宙活動によるものだ。GPS衛星や放送衛星、通信衛星など、まさに地表における経済活動や情報通信を支えるものであり、私たちが日常生活において日々利用しているサービスだ。

● 深宇宙派（ブルーウォーター）

　その一方、ブルーウォーターは地球に向けたサービスを提供するために地球近くで活動するのではなく、地球から離れた外洋、つまり深宇宙などで活動するものだ。遠く宇宙に打って出ていく外征型の宇宙利用を志向していると言っていい。

　その目的は、月や火星といった惑星の探査や宇宙空間における優越的地位の確保となる。具体的には月での資源採掘や月面基地の建設、更には月を中継基地にして火星への着陸を目指す。それに伴って「シスルナ」（Cislunar）と呼ばれる月・地球間の宇宙空間における自由な行動や優越的地位の重要性（宇宙優越）を獲得することも含まれる。この深宇宙での活動を目指すBlue Water分野においてCislunarは最も重要なキーワードの1つとなる。

● 宇宙はデュアルユース

　宇宙分野の特徴はAIやサイバー、5Gといった他の先端技術と同様、軍民両用（デュアルユース）であることだ。衛星が提供する通信や地形情報の収集、地形の変化の探知といった機能は経済だけでなく軍事にも活かすことができる。

　衛星の使い方、宇宙の利用の仕方が経済と安全保障、どちらにも密接に関係している以上、惑星の探査、新型のロケットや衛星の登場、宇宙ゴミの問題、宇宙の様子を見る宇宙望遠鏡といった、ありとあらゆる宇宙における動きは経済と安全保障の両面の意味を持つことになる。

　衛星は、民生用という建前で配備されていても、使い方によって攻撃など軍事行為に転用することもできる。

　GPS衛星も、より正確な位置把握が可能となり自動運転の実用化を後押しする一方で、より正確に目標の位置を捉えるミサイル攻撃の実現も意味する。

　宇宙が持つ軍民両用（デュアルユース）をよく理解しているのが米国だ。国際宇宙ステーションや惑星探査といった民生目的の宇宙活動はNASAが担っているが、同時に国防総省や情報機関が巨大ユーザーとして宇宙利用をしており、宇宙政策も科学技術の発展という観点だけでなく、安全保障の観点も踏まえたアプローチがとられている。

衛星は少数大型から多数小型へ

本章は、宇宙を安全保障の観点から見ることを目的としているが、デュアルユースである宇宙での安全保障を考えるには、商業分野、つまり民間の参入による宇宙ビジネスの活発化の動きの理解は必須となる。

民間企業の宇宙産業への相次ぐ参入の結果、ロケット打ち上げコストの大幅な低下と民生品、汎用品を使った小型衛星の活用が、宇宙ビジネスだけでなく宇宙の軍事利用にも大きな変化をもたらそうとしているからだ。

● 新規参入の先駆者、スペースX

宇宙への民間参入のきっかけは、オバマ政権がボーイング社やノースロップ・グラマン社といった大手の巨大軍事産業だけに担わせていたNASAのロケット打ち上げ事業を、宇宙ベンチャーのSpaceX社など民間の新規参入組にも開放したことにある。

SpaceX社による再利用可能なロケット技術などが、ロケットの打ち上げコストの低下を加速させた。宇宙産業への参入障壁となっていたコスト高の問題は大幅に改善し、新たなアイディアを持った宇宙ベンチャーの参入を促すきっかけにもなった。

民間参入がもたらした変化は衛星の小型化、低コスト化だ。

● 従来の衛星開発・運用スタイル

これまで衛星はロッキード・マーチン社やボーイング社などの大手軍事産業が10年単位で開発をしてきた高価値で高機能な衛星を長期間、運用するスタイルだった。

衛星は長期運用が前提のため、厳しい宇宙環境にも耐えられる機能や、特定の機能に不具合が発生しても対応できるバックアップ機構など、高機能でテーラーメイドの貴重な製品であった。それだけに敵の妨害や攻撃で無力化されると、ダメージが大きいというデメリットがある。

また、一度打ち上げると宇宙空間での修理やアップデートはできないため、運用期間の15年程度の間は、その後の技術進展があってもアップデートされずに使い続けなければいけないことも課題であった。

● 小型化と低コスト化

これに対し、新規参入した宇宙ベンチャーはスマートフォンなどの部品や汎用品を

使った低コストの製造法を考え出し、機能もシンプルにして単純な機能だけに絞った小型衛星を大量に軌道に乗せるコンセプトを打ち出した。

これならば、大量に衛星があるため、いくつかの衛星が故障したり、無力化されたりしても、それ以外の多数の衛星でカバーすることができる。数で能力を担保するため1基あたりの機能は従来のような高機能でなくて済む。高コストにつながるバックアップ機能も省ける。

従来の大型で高価値な衛星は、設計寿命15年で1基あたり平均5憶ドルとされるのに対して、小型衛星は設計寿命5年で50万ドルのレベルまでコストダウンしている。

大型ロケットでの相乗り打ち上げ機会の大幅な増加や、タイムリーな打ち上げを可能とする低価格小型ロケットのサービスの開始などを受けて、この40年間で打ち上げコストがおよそ20分の1に低下し、小型で単機能の衛星を活用したビジネスモデルが台頭してきたのであった。

一般的に「小型衛星」と言えば500キロ以下のものを指す。重さ100キロ以下であれば「マイクロ衛星」、10キロ以下になれば「ナノ衛星」と呼ばれる。今では「ピコ衛星」という重さ1キロ以下のものまで登場している（**図3-2**）。

▼**図3-2**：衛星の小型化

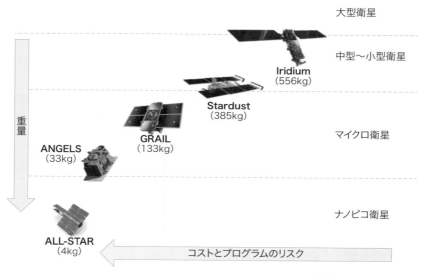

（出典　ロッキード・マーチン社）

▌小型衛星によるメガコンステレーションの登場

　こうした小型化した衛星を「メガコンステレーション」と言われる大量の群れとして運用しようという構想が相次いで登場し、ビジネスと安全保障での活用が期待されている。

　例えば、カリフォルニアに拠点を置くプラネット（Planet）社では、手のひらサイズの30cm程度、重さ4キロのナノ衛星150基を地球の低軌道（LEO：Low Earth Orbit）に打ち上げて、衛星搭載のカメラで地表を観測できるようにすることを目指している（**図3-3、図3-4**）。1日で実に120万枚の衛星写真を撮影可能で、地表の変化を克明に把握することができる。

▼**図3-3**：プラネット社のメガコンステレーションの想像図

2016年2月6日以来カバーした範囲は、3,470,641,300km²。
全衛星構成は150基。

（出典　プラネット社）

▼図3-4：プラネット社のナノ衛星

（出典　プラネット社）

　こうした技術のビジネス応用へのポテンシャルは高く、作物の生育状況の把握や局所的な天候予測が可能となるため、農業の生産管理、天候デリバティブ、農作物の先物市場、天候予測などへの応用が期待されている。

　軍事への応用という観点からも大きな潜在力を秘めている。前述の通り一点豪華主義的な高価な衛星は敵による攻撃を受けた場合の影響が大きい一方で、大量の小型衛星であれば使い捨てが可能で、ほかの衛星で喪失した機能も代替が容易で冗長性が確保できるからだ。

　打ち上げコストが低いため（再打ち上げが容易なため）攻撃を受けても代替機をすぐに打ち上げて復旧させることで、敵の攻撃に対する抵抗力が期待できる。それによって攻撃しても無駄だと相手に思わせる抑止力につなげたい、というのが安全保障セクターから見た期待感だ。

　現在、宇宙を周回している偵察衛星の軌道はほぼ各国によって把握されている。自国が上空から偵察衛星に撮影されるタイミングには活動を停止したり、隠ぺい工作を行う対抗策を各国が取っていることは軍事の常識とされる。

● メガコンステレーションには隠せない

　だが、メガコンステレーションによって、これまでよりも低コストで大量の衛星を配備できることになり、より高頻度の偵察が可能となれば「常に見られている」のが常態となり、秘匿性を確保することは至難となるかもしれない。

特に影響が大きいのは陸上ではなく海上だろう。プラネット社のナノ衛星の分解能は3.7m程度であり、陸上の車両の種類を識別するのは困難だが、海上を航行する航空母艦や艦隊のフォーメーションを捉えるのには何の支障もない。

図3-5は、2018年4月にプラネット社が自社衛星で撮影した、中国の空母「遼寧」の艦隊の様子だ。南シナ海を航行する43隻もの中国艦隊を捉えている。真ん中に写る大型甲板を備える空母を識別するのは、素人でも難しくないほどだ。宇宙からの眼にさらされることを象徴する画像だと言っていいだろう。

▼**図3-5**：メガコンステレーションに撮影された空母「遼寧」の艦隊

（撮影　プラネット社）

今後は、衛星で常に見張られていることを前提に作戦立案し、水上艦艇は集中展開ではなく分散配置する運用を迫られることになるだろう。

こうしたメガコンステレーションの能力が広く民間で開放、利用されることになれば、これまで偵察衛星を運用できなかった国家や非国家主体も高度な偵察能力を獲得できることを意味する。かつては世界中どこでも撮影できる高解像度の衛星写真は潤沢な予算を誇る一部の情報機関だけが独占していたが、そうした独占も崩れていくかもしれない。

● AIとの融合

同時に、メガコンステレーションとAIの融合も進んでいくだろう。1日120万枚という膨大な量の衛星写真を人間の眼で分析することは不可能であり、AIの解析能力と組み合わせて、衛星画像から有意な変化や特徴を読み取っていくことになるだろう。

メガコンステレーションが提供する地表に関するビッグデータは経済、安全保障の両面において多大な利益をもたらす可能性がある。その効用を最大化できるかどうかのカギはAIを活用した効率的かつスピーディな映像解析だ。

　米政府はすでに中国を念頭に、AIを応用した地形情報（地理空間）の自動分析ソフトの海外輸出を規制する政策を打ち出すなど、メガコンステレーションとAIの活用は米中戦略競争の主要領域の1つになりつつある。

● 全地球規模の高速通信ネットワーク

　メガコンステレーションは画像撮影だけでなく、全地球規模の高速通信ネットワークの構築にも活用される予定だ。

　スペースX社のスターリンク計画では、最終的に1万2000基（！）の小型衛星を低軌道（LEO）に打ち上げることで、毎秒1GBの高速衛星通信を地球のどこでも可能とすることを目指している。すでに衛星の打ち上げは始まっていて、2020年中には720基体制になるという。

　同様の計画はワン・ウェブ社（2020年に破産申請）にもかつてあり、最終的には900基の衛星で最大毎秒10TBの通信を提供することを想定していた。

▼**図3-6**：最終的に900基を想定していた

(出典　ワン・ウェブ社)

　これまで電波が届かなかった地域も含めて、全地球的な高速Wi-Fiネットワーク網を目指すこうした計画は、前述の衛星画像を目的とするメガコンステレーションと同様に経済、安全保障へのインパクトを及ぼすだろう。

● 衛星5G連携のインパクト

　安全保障の観点からは、小型衛星のメガコンステレーションが5Gに匹敵する高速通信のプラットフォームになれば、基地局がある陸上だけに限られている5Gの軍事利用が公海上でも可能となる。

　これはまだ実用段階にあるわけではないが、そう遠くない将来の現実的シナリオとして、陸上基地局の電波が届かない太平洋や東シナ海でも、海上自衛隊の艦艇が衛星による5G高速通信を利用できることになるかもしれない軍事的意義は大きい。実現すればおそらく、艦艇上にミニ基地局を設置して衛星からの電波を受信し、艦内のデバイスに5Gの電波を分配するイメージになるだろう。

　そうなれば、大容量の高速通信を活かして、大量のセンサーが収集した動画などの容量が大きいデータのやり取りが航行する艦艇の上でも可能となる。本来ならば地上の施設でしかできないような、超音速で飛び交うミサイルや敵の艦艇や航空機、場合によっては宇宙での動き、彼我の電子攻撃やサイバー攻撃の現況を含めて大量のビークルやアクターが織りなす相互作用といったダイナミックな戦場の状況をAIで解析したり、VR（仮想現実）を使って立体的に表示する、といったことも可能になるかもしれない。

　また、AIとビッグデータを組み合わせたシミュレーションなどを艦上のCIC*（戦闘指揮所）で行って、現場レベルでの戦術判断に役立てる、ということもできるかもしれない。

　今後、小型衛星が提供する5Gネットワークが実現することになれば、地球上のどこでも、AIとビッグデータを活用した高度な情報処理や解析を作戦レベル、部隊レベルでも可能とさせる、まさに革命的なポテンシャルを秘めている。

＊CIC：Combat Information Center、戦闘指揮所

● 極超音速兵器防衛のプラットフォームとしてのメガコンステレーション

また、計画が進められている小型衛星によるメガコンステレーションは、**第5章**で後述する極超音速兵器（Hypersonic Weapon）防衛のプラットフォームとしても期待されている。

具体的には、迎撃ミサイルの発射プラットフォーム、高速で移動する極超音速兵器を宇宙から継続的に監視する監視網、敵ミサイルの位置情報などを瞬時にグローバルに伝達・共有できる「エニーセンサー・エニーシューター」（Any Sensor to Any Shooter、どのセンサーで捉えた情報でも、すべての攻撃手段にも伝達できる）ネットワーク射撃を可能とする高速衛星通信ネットワークとしての活用が考えられる。

そうしたネットワークが実現すれば、最適なセンサーがとらえた目標情報を、そのつど、最適なシューターにデリバリーして攻撃することが可能となる。この結果、これまでのシューター、つまり弾道ミサイル迎撃システム「THAAD*」（終末高高度防衛ミサイル）やペトリオット地対空ミサイルの独自のセンサーの構築が不要となり、コストダウン効果が得られる。

▌宇宙に依存する米軍の戦い方

安全保障における宇宙アセットの軍事利用と言えば、ほぼすべてが地球における軍事活動の支援のためであると言え、ブラウンウォーターに該当する。

● 衛星の配置

地球から見てLEO*（低軌道）を周回する偵察衛星は、地表の軍事活動を見るためのものである。一方、カーナビなどにも使われているGPS衛星への米軍の依存は経済活動に負けないくらい強い。見通し線の向こう、水平線の向こうの遠方にいる味方との通信には、通信衛星が使われている。そうしたGPS衛星や通信衛星は、MEO*（中軌道）やGEO*（静止軌道）で、また本土防衛の柱となっている、核ミサイルなどの発射を探知する早期警戒衛星も、本土防衛はGEOでそれぞれ運用されている。

＊THAAD：Terminal High Altitude Area Defense missile、終末高高度防衛ミサイル
＊LEO：Low Earth Orbit、低軌道
＊MEO：Medium Earth Orbit、中軌道
＊GEO：Geostationary Earth Orbit、静止軌道

　つまり、米軍が依存する衛星は機能に応じて、LEO（低軌道）、MEO（中軌道）、GEO（静止軌道）といった軌道上で運用されている（**図3-7**）。これらの衛星を使うことで米軍はインテリジェンスの70〜90％を、通信の80％を宇宙に依存していると中国側は見ている。「宇宙を制する者が地球を制する」という原則のもとに米軍は宇宙アセットの力を借りながらグローバル展開やより遠方への精密な長距離打撃を可能にしている。衛星はハイテクを駆使して戦う米軍を支える戦略的重心であると言っていい。

▼**図3-7**：LEO（低軌道）、MEO（中軌道）、GEO（静止軌道）の関係

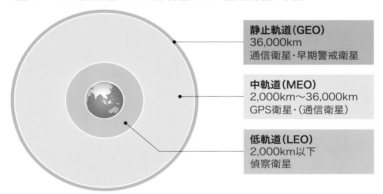

静止軌道（GEO）
36,000km
通信衛星・早期警戒衛星

中軌道（MEO）
2,000km〜36,000km
GPS衛星・（通信衛星）

低軌道（LEO）
2,000km以下
偵察衛星

　同時に米軍が誇るハイテク兵器も衛星の支えなしでは機能しないため、最大のアキレス腱でもある。敵対国から見れば、わざわざ強力な米軍に正面から挑まなくても、衛星さえ無力化してしまえば、米軍の動きを止められる格好の攻撃対象ということになる。

● キルチェーンとは？

　図3-8を見てほしい。これは、目標の発見から攻撃、攻撃の結果の評価までの戦闘サイクル（キルチェーンサイクル）を米統合参謀本部がまとめた、統合運用における指針だ。

図3-8は、キルチェーン（Kill Chain）と呼ばれる、米軍の4軍が統合で攻撃する場合のサイクルを示している。そのサイクルすべてにおいて米軍が衛星に依存している。キルチェーンのどの段階でも欠ければ、すべてのサイクルは完結できない、つまり攻撃という戦闘行為が完結できないことがわかる。

● キルチェーンの段階①　FIND〜FIX

キルチェーンの各段階における衛星の活用を詳しく見ていこう。

まず、敵の発見（FIND）では、敵の動きや位置を電波傍受から特定するELINT（電子情報収集）衛星、光学カメラで敵の動きを観察する画像偵察衛星、レーダーで地表を偵察するSAR（合成開口レーダー）衛星といった偵察衛星が重要な役割を担う。更に弾道ミサイルの発射は、赤外線センサーで探知する早期警戒衛星が担っている。

これらの衛星のセンサーが得た情報によって敵の位置を特定（FIX）し、GPS衛星の情報と融合させた上で各部隊への情報は共有されていく。

偵察衛星が収集した、遠隔地における情報を地上基地にリレーするリレー衛星も、このサイクルのすべての段階で必要とされる。

　図3-9は、米国が運用している偵察衛星KH-11シリーズの1つであるUSA-224が撮影した、イランの宇宙ロケット発射場での爆発後の状況だ。偵察衛星の解像度は国家機密であるため、実際の衛星写真が出回るのは非常に珍しい。

▼図3-9：爆発事故を起こしたイランの宇宙ロケット発射場の衛星写真

（出典　2019年8月30日のトランプ大統領のツィートから）

　その国家機密である衛星画像を公表したのは、なんとトランプ大統領で、自身のツィートに掲載して世界に衝撃を走らせた。

　大統領といえども門外不出のはずの偵察衛星の画像を公開してしまったことに、米情報機関からは衝撃と怒りの声が出たと言われる。この衛星写真自体にはグーグルアースと同程度の分解能しかないこともあって画像自体の秘密度はそれほど高くないが、この衛星画像から何を読み解くか、という情報分析の詳細、つまり画像にある吹き出し部分は機微な情報だと言える。

　おそらく、情報機関からのブリーフを受けている最中に自身のスマートフォンで撮影したと見られ、写真の中央はカメラのフラッシュらしき光の反射が映り込んでいるのがわかる。

　ネットサイトの「ポピュラー・メカニクス」誌（Popular Mechanics）によれば、2011年

に打ち上げられたUSA-224偵察衛星には、直径2.4メートル大の望遠鏡（**図3-10**）が搭載されていて、地上の10センチ大のものを見分けられると言われている。

▼図3-10：米偵察衛星KH-11の上面図

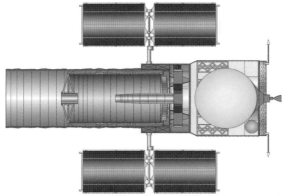

(出典　Wikipedia)

● キルチェーンの段階②　TRACK～ASSESS

　捕捉した敵を追跡（TRACK）するには、無人機（UAV）が最も一般的な方法だが、UAVのカメラがとらえる動きは衛星通信を通じて共有されるほか、UAVを遠隔操作するにはGPS衛星と通信衛星が必須となる。

　どのような手段で攻撃を加えるのかを決定（TARGET）する上でも、遠く離れた司令部から前線の航空機やUAV、艦艇に指示を伝えるには通信衛星とGPS衛星が必要だ。

　いよいよ、攻撃（ENGAGE）という段階においても、衛星を介して行われる地平線以遠への長距離通信が不可欠だ。それを担うのはWGS（Wideband Global SATCOM）と呼ばれる10基の通信衛星で、音声、動画、データを介する全地球的な通信を可能にしている。また、攻撃が可能な天候なのかどうかの分析は気象衛星が担い、飛翔するミサイルを目標に誘導するのもGPSの位置情報だ。

　そして、攻撃はただミサイルや爆弾を投下して終わりではない。作戦目標を満たす攻撃効果があったのかどうか、再攻撃の必要性はないか、戦果確認という評価（ASSESS）まで行って、キルチェーンのサイクルは完結する。

　このように、戦闘行動のあらゆる段階で米軍は衛星に依存しており、どの段階においても衛星が敵の妨害や攻撃によって機能しなくなった場合、戦闘行動（精密攻撃）を完結できないのが現実だ。

　このほかにもAEHF＊衛星と呼ばれる核戦争などの国家的緊急事態の際にも大統領が各軍の最高指揮官に命令を出せるようにする通信衛星がある。

　いかに米軍の宇宙への依存度が大きいか、いかに宇宙というものが今日のハイテク戦闘に不可欠な領域か、おわかりいただけただろうか。そして宇宙への依存が大きければ大きいほど、衛星を機能停止に追い込めば米軍の動きを止めることができることを意味する。

　まさに巨人・米軍に正面から挑まなくても、宇宙という首根っこを押さえる非対称アプローチによって麻痺させることができる。この点を最も理解しているのが中国であり、それに気づいている米軍の危機感もまた強い。

▍SSA（宇宙状況認識）を巡る日米ギャップ

　危機感を強める米軍がまず力を入れているのが宇宙における状況認識だ。自国の衛星に近づく敵衛星はいないか、衛星の機能を脅かすものが他にもないか。そして敵の衛星は何をしているか。それをまず知ることから始めようとしている。

● 混み合う宇宙

　その理由は今、宇宙が混み合ってきていることにある。米宇宙軍の統計によれば、衛星を運用するなど宇宙において活動している国の数は45か国。

　衛星の数も科学技術目的のものが303基、測位衛星が6か国、121基、通信衛星は45か国、790基、偵察衛星が38か国、666基が運用されている。

　これに伴って深刻化しているのが、「デブリ」と呼ばれる宇宙ゴミの問題だ（**図3-11**）。欧州宇宙機関（ESA）によれば、1センチ〜10センチまでの大きさのものだけでも90万個以上あるという。10センチ以上のものは3万4千個、1センチ以下のものであれば実に1億個以上だと言われる。

＊AEHF：Advanced Extremely High Frequency、先進ミリ波。

▼**図3-11**：地球の周りの宇宙ゴミ「デブリ」

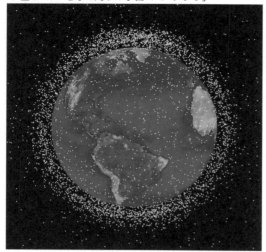

（出典　NASA）

　多くはロケットの残骸や寿命を終えた衛星、宇宙兵器開発のための宇宙での衝突実験に伴う破片などで、地表から高度1千キロのLEO（低軌道）であれば秒速7キロ余り、音速の23倍以上の速さで地球の周りを飛んでいる。

　その速さで10センチ以上のデブリが衛星に衝突すれば壊滅的な結果をもたらし、破壊された衛星がさらなる破片（デブリ）を発生させることになる。たとえ1センチ以上のデブリの衝突でも、衛星が機能停止に追い込まれることは避けられない（**図3-12**）。

▼**図3-12**：デブリによって衛星の太陽光パネルに開いた穴

　　（出典　NASA）

● デブリの監視

　これらのデブリがIISS（国際宇宙ステーション）や衛星などにぶつかる例もあり、デブ

リの問題は宇宙利用そのものが妨げられる深刻な問題になりつつある。

これは、宇宙を利用するすべての国や主体にとって不利益となる問題で、いかにデブリを今後、増やさないようにするか、デブリ除去技術を実用化できるか、デブリを増やすような行動を各国が自制できるか、が重要となってくる。デブリを巡る状況は、後述するように宇宙における軍事活動にも影響を及ぼしている。

デブリを除去するには衛星で掴まえて大気圏に落とすことで燃やしてしまう方法などいくつかが開発途上にあるとされるが、実用化のメドはまだ立っていない。

そのため当面できることは、デブリの動きを監視して、衛星や宇宙ステーションにデブリが衝突しそうな時は警報を受けて回避行動を取れるようにしておくことになる。これが宇宙における状況を認識するSSA*（宇宙状況認識）である。

● SSAの実態

現状、全地球規模のSSA能力を持っているのは米宇宙軍とNASAであり、LEO（低軌道）上の5センチ以上、静止軌道上の1メートル以上の大きさのものを追跡、監視している。各国の衛星に衝突警報を出すなど、実質的に円滑で安全な宇宙利用のための国際公共財を提供している。

SSA（宇宙状況認識）での宇宙監視には、地上レーダーと、地上配備型および宇宙配備型の宇宙望遠鏡が使われている（**図3-13**）。日本のJAXAは岡山県でスペースガードセンターを運用しているが、宇宙（光学）望遠鏡で静止軌道帯の衛星を、レーダーによってLEO（低軌道）上の衛星を観測（監視）している。日米宇宙協力の一環でそうした観測情報は米国主導のSSA運用体制に提供されている。

＊SSA：Space Situational Awareness、宇宙状況認識

▼図3-13：米軍がパートナー国と協力して構築している宇宙状況認識SSAネットワーク

追尾レーダー　　光学望遠鏡
探知レーダー　　SSN C2
画像レーザー

（出典　米空軍）

　一方の米軍は、最新鋭の宇宙監視用の地上レーダー「スペースフェンス」（Space Fence）の運用を始めている（**図3-14**）。スペースフェンスは、マイクロ衛星や小さなデブリを探知するほか、地球から遠い軌道であるGEO（静止軌道）や深宇宙の監視能力もあるとされる。そのためMEO（中軌道）のGPS衛星やGEOの早期警戒衛星といった高価値な衛星へのデブリの接近を事前に探知することを目指している。

　こうしたレーダーや宇宙望遠鏡を使ったSSAネットワークによって、衛星へのデブリの接近がわかれば、ただちに衛星のスラスターを使って回避行動をとることになる。ここまでが日本で理解されているSSAの範囲だ。

▼図3-14：マーシャル諸島クウェゼリン環礁にあるスペースフェンス（Space Fence）レーダー

（出典　ロッキード・マーチン社）

● 軍事面のSSA

　他方で、SSAは軍事的側面も大きい。むしろ米軍は軍事利用をSSAの主要目的に考えている節がある。衛星への衝突を回避するためにデブリの動向を監視し、回避もすることは、敵の衛星の動きを監視し、敵対行為があれば回避するということでもあるからだ。

　また、そうした衛星の動きの把握だけにとどまらず、衛星の性質や目的、能力の把握までを米軍はSSAとして捉えている。あくまで真偽は不明だが、中国やロシアの衛星に対する接近と偵察や、敵対国の衛星が発する電波の傍受、解読も行われていると見られ、普段から衛星がどのタイミングでどの周波数を使って地上と交信するのか、といった情報も当然、重要となってくる。つまりSSAとはデブリ回避のためだけではなく、インテリジェンス活動の一環として行われているのである。

　宇宙空間で起きていることはまだまだ把握が難しいとされるが、各国が宇宙でどのような衛星の運用の仕方をしているのか、具体的に言えばこちらの衛星に危害を加えるような行動をとる能力や兆候があるかどうかの監視から、普段からの敵衛星に対する電波傍受といった情報収集活動に役立つカタログ作りをすることが米軍の考える宇宙状況認識の目的だと言える。

　当然、こちらが敵衛星に攻撃を加える場合もSSAのデータが必要とされる。攻撃には

まず敵の衛星の正確な位置や能力、使用する電波周波数帯などを把握することから始まるからだ。

● 日米の認識ギャップ

このように宇宙は一見、民生用の技術やシステムでも使い方や使用対象を変えるだけで軍事活動に使えるのが特徴だ。SSA 一つ見ても、日本では衛星への衝突を避けるためのデブリの把握という説明がされているが、米国はそれだけでなく、普段のインテリジェンス活動や場合によっては将来の攻撃をも視野に入れた実態把握という捉え方をしているなど、日米の認識ギャップが大きいほか、民生用と軍事用が表裏一体、場合によっては混在しているのが宇宙の特徴だと言えそうだ。

その一例だが、高速で周回している IISS（国際宇宙ステーション）へのドッキングの成功も、見方を換えれば、高速で周回する敵の衛星に正確に接近して攻撃や妨害といった悪意のある行動を仕掛けられる能力を反映している。

宇宙アセットとは、軍事、民間どちらの目的でも使用できるデュアルユースということを理解しなければ、宇宙での米中の駆け引きの本質は見えてこないだろう。

日本では宇宙はもっぱら科学技術の発展の文脈で語られることが多いが、「宇宙は今や戦闘領域となった」（トランプ大統領）という発言は、まさにこうした現実を指している。

▎対衛星攻撃（ASAT）能力

では、現時点で宇宙における戦闘、宇宙戦、そして宇宙兵器はどのようなものなのだろうか。現在、米国の軍事コミュニティでは「宇宙戦」（Space Warfare）の議論が活発になっているが、戦闘機同士、艦船同士が宇宙で戦闘を繰り広げるという段階にはなく、宇宙戦とは何らかの方法で衛星を攻撃する、対衛星攻撃（ASAT：Anti-Satellite weapon）能力を意味している。

ASAT（対衛星攻撃）には、物理的に衛星を破壊してしまう「キネティック」（Kinetic、運動エネルギーによる直接物理攻撃）と呼ばれる手段と、物理的には破壊せず電子的に

機能停止に追い込む「ノンキネティック」(Non-Kinetic、非直接破壊) 手段に分かれる。

　前者はミサイルやキラー衛星などを使って衛星の機能を一時的あるいは恒久的に破壊したり、衛星を軌道外に吹き飛ばしたりするもので、後者は電波妨害、レーザー、サイバー攻撃によって衛星の機能を阻害することを指す。

▼**図3-15**：直接物理攻撃 (Kinetic) と非直接破壊 (DEW)

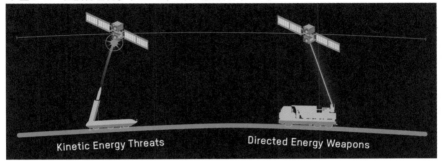

Kinetic Energy Threats：直接物理攻撃による脅威
DEW：Directed Energy Weapons、レーザー兵器

(出典　米国防情報局)

▌ASAT兵器 (地上配備型) ①　ミサイル

　宇宙にある衛星に対する攻撃や妨害は、地上から行うのが今のところの主流となっている。

● 中国の衛星攻撃ミサイル

　この能力の獲得に積極的なのが中国である。中国は地上から発射する衛星攻撃ミサイル「SC-19 (DN-1)」を保有していて、2007年11月に中国の気象衛星を高度865キロで直撃し、数千にも及ぶデブリを発生させたことは有名だ。射程2500キロと言われるDF-21準中距離弾道ミサイルがベースとなっているとされ、垂直発射した場合、高度1250キロまで飛翔すると考えられている。

　このほかにも2005年から2018年2月までの間に少なくとも合計10回の衛星攻撃ミサイルの発射実験を行っていて、DN-2ミサイルはMEO (中軌道) とGEO (静止軌道) に対する限定的な攻撃能力があるとも言われる。このため米政府は中国がLEO上の衛星を地

上から攻撃する能力をすでに実戦配備していると見ている（2019年1月29日の上院公聴会におけるコーツ国家情報官の発言）。

　LEOにいる衛星に対するミサイルは発射からわずか10分以内に目標に到達するため、発射を探知できてもミサイルを回避するための指令を衛星に送る時間的余裕はない。

　より高度が高いGEOやMEOに対する攻撃能力を中国がどこまで獲得しているかは不明だが、GPS衛星がいるMEOにミサイルが到達するには少なくとも1時間を要するため、GPS衛星に回避行動を取らせる時間的余裕はまだある。GPS衛星は30基以上あり、数基がたとえ破壊されても「抗たん性*」は維持できるが、展開数が4基と少ない早期警戒衛星やリレー衛星などは攻撃によって容易にそのすべての機能が失われる恐れがある。

● 直接物理攻撃は探知されやすい

　こうした物理的破壊を伴う攻撃行為は、後述する電波を使った妨害や、眼に見えないレーザーによる照射といった非破壊的手段と比べて、攻撃者の特定が容易だと言える。攻撃側から見れば、攻撃行為を特定されて報復攻撃を招くことが予想されるため、このKinetic手段が使われるのは相手国との戦争を明確かつ強く決意した時に限られるだろう。

▍ASAT兵器（地上配備型）②　レーザーによる衛星攻撃

　弾道ミサイルを使った衛星攻撃以外に、地上からのレーザー照射もある。米軍のDIA（国防情報局）は、早ければ2020年中に中国がLEO上の衛星の光学カメラを破壊可能な地上配備型の高出力レーザーを配備するとしている。中国はすでに2006年に中国本土の上空を通過する米偵察衛星に対してレーザーを照射したことがあると言われる。

---

*抗たん性（Resilience）：宇宙に係る脅威・リスクが顕在化した状況においても、代替・補完手段の確保を含め、宇宙システムの機能中断又は機能低下の防止や機能回復によって、利用者が当該機能を安定的に利用できるよう図るための対策。
〔出典　内閣府宇宙政策委員会宇宙安全保障部会第17回会合配布資料3「宇宙システム全体の抗たん性強化に関する主要事項について（案）」、2016年11月7日〕

● レーザーの課題

ただレーザーによって衛星を無力化するにはいくつかの課題が残されている。衛星の位置を正確に捉えるのが大前提となるが、まずレーザーは地上と衛星の間にある大気の影響を受けやすい。

更にレーザーの照射は高速移動中の小さな衛星に搭載された光学カメラに向けて正確に照射する必要がある。ただし、地表を撮影する偵察衛星のカメラは地球、つまりレーザーを照射する側を向いていることもあって照準はそれほど困難ではない。地表から軌道上の衛星に遠距離照射する場合、レーザーは拡散する傾向にあるため、拡散したレーザーで衛星全体を覆うように照準するイメージになる。

また、レーザーによる破壊効果を確保するには、レーザーの出力にもよるが、最低でも10秒前後の継続的照射が必須となる。光学カメラではなく、衛星の電子回路にダメージを与える場合でも高出力レーザーを一定以上の時間、照射し続けなければいけないことに変わりはない。光速のレーザーは瞬時に効果が出るわけではなく、ある程度の継続的な照射が前提となる。

これだけでも、レーザー照射がいかに技術的ハードルの高いものか、わかるだろう。大前提として衛星の捕捉と追跡は必須であるほか、上記の課題を考えれば高出力のレーザーを仮に配備したとしても、実際にそれを運用して想定した効果を得ることは容易ではない。

● アメリカのレーザー開発

一方の米軍は、レーザー兵器の開発を様々なプログラムの下で進めている。すでに地上配備型のレーザー照射能力は保有していると見られているが、実戦配備しているという情報は今のところ確認されていない。

宇宙配備型については、BMD（弾道ミサイル防衛）*向けにレーザー兵器の開発が検討されており、2023年に宇宙での実験を行うことを目標に、2020会計年度の国防予算に3億ドルあまりが計上されている。

宇宙からレーザーで弾道ミサイルを迎撃できれば、軌道上の衛星を攻撃することも理論上、可能となるため、衛星攻撃も視野に入れているかもしれない。

＊BMD：Ballistic Missile Defense、弾道ミサイル防衛

衛星に対するレーザー照射は全面戦争における攻撃行為というよりは典型的なグレーゾーン事態で有用となる手段だ。レーザーを照射されても発生源を特定することは難しく、照射時間が短ければ効果も一時的にとどまるかもしれない。これだけでは戦争行為と見なすことはできず、攻撃を受けた側は報復行為に出にくい。攻撃側からすれば、紛争一歩手前ギリギリのリスクをとって相手の宇宙アセットを妨害できる手段となる。

また、その後の宇宙利用に支障をきたすデブリを発生させない攻撃手段であることも、攻撃側には魅力となろう。

そのためレーザー照射は今後、電力の確保、目標の捕捉と追跡といった技術的な課題が克服されて実戦配備されれば、開戦初期において相手の衛星や宇宙兵器を無力化する目的から、平時における相手に対する嫌がらせや妨害、行動の遅延を誘う目的にまで幅広く使われることになっていくだろう。

■ASAT兵器（地上配備型）③　サイバー攻撃

攻撃源の特定が困難で、相手の反撃を呼びにくい、戦争手前の攻撃手段としてうってつけなのはレーザーだけでなくサイバー攻撃や電波妨害、電子攻撃も同じだ。

● サイバー攻撃の事例

サイバー攻撃はこれまで主には衛星本体というよりも衛星を制御している地上基地に対するハッキングが行われてきた。例えば2008年にノルウェー所在の地上ステーションがハッキングされ、NASAのランドサット衛星が12分間にわたって制御系システムへの攻撃を受け、衛星の制御権をハッカーに奪われた状態となっている。結局、ハッカーは何のコマンドも送らなかったため事なきを得たという。犯人はわかっていないが、攻撃源が中国だとも囁かれている。

その後も2011年にはNASAジェット推進研究所が中国のIPアドレスからの攻撃を受けて、中核システムへのアクセスを侵入者に許す事態となった。2014年にもNOAA（米海洋大気庁）が中国によるハッキングを受けたことを下院に報告している。

● サイバー攻撃の特徴

サイバー攻撃によって衛星が乗っ取られれば、衛星と地上基地の通信をオフにするこ

ともできるだけでなく、衛星の推進機能を暴走させて異常加熱させたり、光学カメラの
レンズを太陽に向けて溶解させることが懸念されている。

衛星は近年、オンボードのデジタル機器の増加やソフトウェアに依存した通信などに
よって攻撃経路が増えており、脆弱性が増しつつあるという。

また出荷段階でハードウェア、ソフトウェアどちらにもバックドア（侵入口）が仕込ま
れるサプライチェーンのリスクも排除できないだろう。

サイバー攻撃は攻撃側から見れば、迅速かつ安価な手段という利点がある一方で、物
理的破壊が伴う攻撃手段に比べて、攻撃効果がすぐに表れないこともあるほか、そもそ
も攻撃効果を測定することが難しいという難点がある。そのため軍の作戦においては忌
避される傾向にあるので、サイバー攻撃が行われるとすれば、その他の攻撃手段と併用
されることになると見られている。

ASAT兵器（地上配備型）④　電波妨害による衛星攻撃

電波妨害、つまりジャミングも有効な手段である。軍事では「電子戦」と呼ばれる分野
に当たる。前述のデブリを増やすような物理的破壊を伴う攻撃は自国も含めたすべての
宇宙利用国の不利益になるため、今後のASATの主流は、非破壊的手段（Non-Kinetic）
である電波妨害などが主流になっていくと見られている。

● 電波妨害の方法

ジャミングには、**図3-16**にあるように、地上に配備された妨害装置から衛星に向けて
妨害電波を出して、衛星と地上との交信を無力化させる方法がある。この場合は通信衛
星を狙って地上の基地との通信を妨害したり、偵察衛星が撮影した画像データを地上基
地にダウンリンクさせないことが考えられる。

▼図3-16：ジャミングの方法①

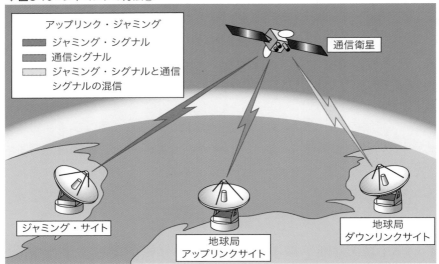

アップリンク・ジャミング
　■ ジャミング・シグナル
　■ 通信シグナル
　■ ジャミング・シグナルと通信
　　シグナルの混信

通信衛星

ジャミング・サイト

地球局
アップリンクサイト

地球局
ダウンリンクサイト

（出典　米宇宙軍国家航空宇宙情報センター（National Air and Space Intelligence Center））

　更には、**図3-17**にあるように、衛星からの電波を受けるレシーバーの近くに妨害装置を置いて、レシーバーが電波を受信できないように妨害する方法がある。

　その最たる例がGPSだろう。衛星からのGPS電波を受信するレシーバーが妨害電波で信号を受け取れなければ、自己の位置を把握することが難しくなり、カーナビは機能しなくなる。軍事面で言えば部隊や艦隊の位置把握や無人機やミサイルの誘導に支障が出ることになる。

▼図3-17：ジャミングの方法②

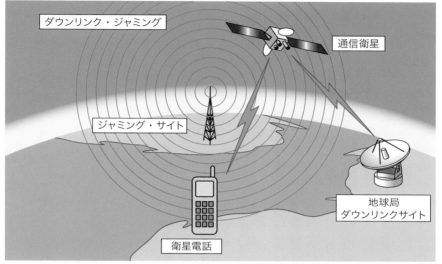

ダウンリンク・ジャミング

通信衛星

ジャミング・サイト

地球局
ダウンリンクサイト

衛星電話

（出典　米宇宙軍国家航空宇宙情報センター（National Air and Space Intelligence Center））

● 米空軍の妨害装置

米空軍は、地上配備型の移動式妨害装置（CCS：Counter Communication System）を配備しており、GEO上の衛星からの電波を妨害できるとされている。CCSは電子戦能力の一部とあって2003年の運用開始以来、公開されている情報はほとんどないが、何度かのアップグレードを経て、少なくとも13セットが運用されていると見られている。

妨害対象をGEO上の通信衛星にしていることから、民間通信衛星が使用するCおよびKuバンド、軍事衛星が多用するXバンドへの妨害能力があると見られている。

● ジャミングの特徴

一般的にジャミングは、攻撃側から見ると、その攻撃効果を判定するのが難しいという難点がある。目に見える破壊効果が出ないため、衛星の機能が阻害されたことを確認して初めて妨害の効果があったとわかる。

逆に攻撃を受ける側からすると、レーザー照射と同様に、どこの誰から妨害を受けているのかを直ちに特定することは難しいため、対処が厄介だと言える。通信は妨害され

ているが反撃が認められるほどの被害がないことから防御側は事実上、泣き寝入りということもあり得る。そのため攻撃側にとって電波妨害はミサイル攻撃などに比べれば心理的ハードルは高くないと言えそうだ。

● 防御側の対策

これに対して、防御側が取れる対抗策は、衛星の抗たん化だ。

宇宙デブリを招くような物理的破壊を伴う反撃が、事実上、できないとすれば、防御側の対抗策は、相手の攻撃効果を減殺させる消極的手段しかないというのが現実だろう。

ロッキード・マーチン社によると、米軍の新型のGPSブロックIII衛星は妨害電波に対抗できる出力の電波送出が可能となったことで、対妨害能力がGPSブロックIIと比べて8倍向上したほか、地上基地との交信が途絶しても正確な位置把握が可能だという。

その一方で米軍はGPSに対する妨害実験、つまり敵の測位システムに対する妨害を想定した実験も過去に行っている。2018年2月と2019年2月に米空母打撃群が米カリフォルニア沖での演習で広範囲にわたってGPSが妨害された環境を演習の設定として作り出している。GPS衛星の電波は停止しないで(世界中でユーザーがいるためそれはできない)GPSが使用できない状況を作り出した事実は、米軍が中国版GPSである「北斗」の電波を一定範囲において妨害できることを窺わせている。

┃ASAT兵器(宇宙配備型)

ASAT兵器は地上配備だけでなく、宇宙配備型の存在が指摘されている。実態は明らかになっていないが、中国も宇宙配備型のASAT能力の開発に力を入れているという。

果たして実戦配備されているかどうかもわかっていないが、米空軍は現在の技術で可能な能力をいくつか、**図3-18**で列挙している。

レーザーや電波妨害(電子攻撃)や小型発射体による攻撃のほかに、偵察衛星の光学カメラにスプレーをして目隠しをする妨害やロボットアームで掴んで相手の衛星を遠くに飛ばしてしまうことも技術的にあり得るとしている。

▼図3-18：米軍の宇宙配備型ASAT兵器

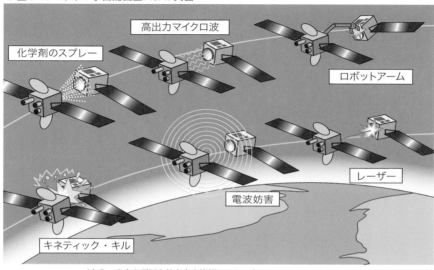

高出力マイクロ波

化学剤のスプレー

ロボットアーム

レーザー

電波妨害

キネティック・キル

(出典　米宇宙軍国家航空宇宙情報センター（National Air and Space Intelligence Center）)

　いずれも、目標の衛星に正確に接近する必要があるため、宇宙の状況認識であるSSA
に加えて、RPO（Rendezvous and Proximity Operations）と呼ばれる衛星を目標の衛星
に接近させる能力が必須となる。そのため高速で周回している衛星へと正確に衛星を誘
導して接近させる高度な技術が求められることになる。

● 中国のRPO能力

　中国は、少なくともLEO低軌道において2010年夏に行って以来、複数回にわたって
RPOを実行して衛星を衛星に正確に接近させる技術を確立している。2010年8月19日、
SJ-12衛星が、同じく中国のSJ-06F衛星に300メートル以下の極めて近距離に接近した
ことが観測されている。接近どころか、接触に近かったと言われる。衛星がダメージを受
けたり、それによってデブリが発生した報告はされていないことから、何らかの形でドッ
キングに近い形で意図的に接触させることに成功したと見られている。

　2013年には3つの衛星を打ち上げた。そのうちの1つ、SJ-15衛星は100キロ以上の軌
道変更を行いながら、SJ-7衛星まで数キロに近づいた。米宇宙関係者によると、SJ-17に

はロボットアームが装着されていて、他の衛星を捕獲する訓練をしていたことが疑われている。

2016年11月、新型の大型ロケットLM-5によって打ち上げられたSJ-17衛星は地球から6時間14分かかってGEO（静止軌道）に到達した。GEOにおいてSJ-17は最新のガリウム太陽光パネルやイオン推進、光学センサーなどの最新機器の実験を行ったとされる。

その後、すぐにSJ-17は動きを開始する。中国の通信衛星Chinasat 5Aに100キロ以下の距離に近づくと、その後、数日かけて小刻みに移動しながら数キロの距離にまで接近した。

地球から3万キロ以上彼方のGEOにおいて、数キロという極めて近距離にまで衛星を接近させる技術は極めて高度だと言われている。

その近さまで相手の衛星に接近できるということは、かなり詳細な視覚的な偵察ができていると推測され、GEO上にいる通信衛星に対する電波妨害やロボットアームを使った破壊活動が実行可能であることが強く疑われる。

● アメリカの懸念

GEO上に4基しかいない早期警戒衛星（SBIRS *）がとらえる情報に核攻撃探知を依存する米国にとって、まさに「虎の子」の早期警戒衛星をも脅かす能力を見せつけられた格好と言える。

米軍はGEOやMEO上の貴重な衛星の防護のためにGSSAP *衛星2基を2014年7月にGEO静止軌道に打ち上げている。GEOにおいて自国の衛星に近づいてくる衛星を監視するためだ。

これは、米軍が台頭する中国の宇宙戦能力を前にしてできるのは、消極的防御しかない、ということも示している。つまり宇宙においては攻撃が圧倒的に有利だということになる。

＊ SBIRS：Space-Based Infrared System、宇宙配備赤外線システム
＊ GSSAP：Geosynchronous Space Situational Awareness Program

　米空軍制服組トップのゴールドフィン参謀総長は、2019年のレーガン国防フォーラムで次のように攻撃側有利を説明している。「いくつもの戦争シミュレーションでわかったのは、宇宙では先に動いても必ずしも勝利は保証されないが、先に動かなければ、おそらく負けになることだ」。

中国の宇宙への依存

　着々と宇宙能力を強化する中国。

　軍民合わせて250基以上の衛星を運用し、中国版GPSとも言われる測位衛星「北斗」は、2020年以降には30基体制となって全地球規模のカバーが可能となると見られている。

▼**図3-19**：中国が運用する民間、軍用の衛星

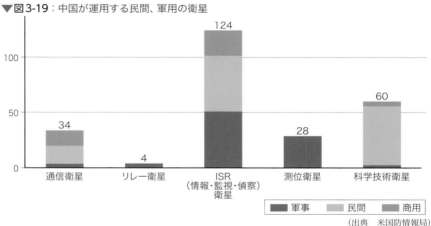

（出典　米国防情報局）

　ただ、他方で中国が宇宙アセット網を整備すればするほど、宇宙能力を活用しようすればするほど、米軍と同様に宇宙への依存が強まり、それがアキレス腱となり得る。

　米国に追いつき追い越せと、米国と同じ道を歩もうとすれば宇宙の活用が自分の弱点になってしまう。

● ASBMが任務遂行不可になるのは？

　実際、米軍が最も懸念するA2/AD兵器の1つである対艦弾道ミサイル（ASBM）は、遠距離の敵を遠方から攻撃するため衛星を使った情報収集、情報伝達、誘導が前提となる。

米軍のキルチェーンと同じように、中国も虎の子兵器のキルチェーンを宇宙に依存することを意味しており、攻撃側につけ入る隙を与えることになる。キルチェーンのどこかの段階で（例えば偵察衛星が）使用不可能になれば、攻撃目標の米空母を見つけることはできない。見つけることができても、精密攻撃が可能なほどの高精度な位置情報は得られない。ミサイル自体は敵に攻撃されて破壊されているわけではないが、運用に必要な情報が衛星を通じて得られないため、ミサイルはその攻撃効果を発揮することはできず任務遂行が不可（Mission-Killed）となってしまう。

　攻撃側から見れば、ASBMは破壊できていなくても中国がそれを使えなければ、もしくは発射したとしても空母に当たらなければASBMを無力化したことになり、破壊して使用不可能にしたのと同義となる。

● 強みにも弱みにもなる衛星

　精密攻撃や長距離打撃を行うための高度な兵器であればあるほど、情報を持続的に必要とし、遠方からの情報伝達が必須となる。そしてそれを可能とするのは衛星だ。それが現代戦においては強みとなり、同時に弱みとなる。

　その意味では、米中どちらにも、強みと弱みが宇宙分野にはある、ということになる。

　これまでは米国に比べて宇宙能力が劣っていた中国が攻撃側有利、防御側不利という土俵を活かしてきた。中国の宇宙への依存が低い間は、宇宙に依存する米軍の宇宙アセットを無力化した時の効果、メリットは甚大であったろう。

　しかし、中国が米国と同様に宇宙への依存を深めれば、一転して米国に対する弱点にもなるため自国の宇宙アセットの防御への投資を迫られることになる。予算が無限にあるわけでなければ、これにより攻撃能力の整備に投下されていたリソースが防御力への投資に回るため、攻撃用の投資は低下すると考えられる。そうなれば、少なくともこれまでの攻めへの投資の勢いは弱まるかもしれない。

▎米軍の宇宙戦能力

　宇宙関連予算には公開されない秘密予算が多く、米軍がどのような宇宙戦能力を保有しているのか、保有を目指しているのか、その全容はベールに包まれている。

　ただ、米軍はここ最近まで、宇宙攻撃兵器の配備に決して積極的ではなかった。CNNのジム・スキアット（Jim Sciutto）記者の著書『Shadow War』（日本語版『シャドウ・ウォー 中国・ロシアのハイブリッド戦争最前線』）によれば、オバマ政権期では米軍においては攻撃兵器（Offensive Weapon）の「O」の字も口にすることが憚られる雰囲気だったという。

　その背景にあったのは、宇宙攻撃兵器を配備することで軍拡を招き、米軍が依存する宇宙アセットの安全性が逆に損なわれることへの懸念であった。

● 攻撃的宇宙戦能力への転換

　それが劇的に転換したのが、2015年前後だとされる。当時のワーク国防副長官のイニシアチブをきっかけに宇宙戦能力や宇宙での優越の重要性に関する議論がスタートした。

　国防総省は2014年5月から、「宇宙戦略レビュー」（Space Strategic Portfolio Review）という検討作業をスタートさせ、宇宙における攻撃能力を巡る議論が本格化していった。

　対中強硬路線を鮮明にし、政府を挙げた（Whole-of-Government）アプローチで対中戦略競争を進めるトランプ政権になってからは、宇宙における攻撃能力の獲得が米軍幹部の口から公の場で語られるほどになっている。

　例えば前述の米空軍トップのゴールドフィン参謀総長は、宇宙への必要な3つの投資として宇宙アセットの防御態勢の強化をまず挙げたが、それだけでは不十分であり「殴られたら殴り返す」能力が必要だと述べている。そのうえで宇宙軍を「戦闘集団」へ転換させることだと指摘している。

　これほど率直に米軍幹部が防御だけでなく攻撃的な宇宙戦能力を目指していると明言するまで時代状況は変化を遂げている。

● 宇宙攻撃兵器の出発点はRPO

　前述の通り、ドッキングや接近は、そのまま衛星を攻撃できることを意味する。つまり宇宙攻撃兵器の出発とも言える技術となる。

公開されている範囲だけでも、米軍は過去にRPO＊実験を行っており、限定的ながら宇宙攻撃能力をすでに保有していると言っていい。

　公開情報によれば、少なくとも2003年1月におけるマイクロ衛星XSS-10＊を皮切りに、LEOで4回、GEOで3回のRPO実験を行っている。GEOには、2014年と2016年に相次いで合計4基のGSSAP＊衛星を打ち上げている。

　ロシアの宇宙監視ネットワークであるISON＊によると、GSSAP衛星は2016年から2018年の間に8回にわたって中露の衛星に10キロ程の距離に接近し、偵察を行ったという。2016年9月13日の接近では中国の通信衛星に15キロの距離まで迫ったとされている。

● 衛星を攻撃できるミサイルSM-3

　このほかに米軍は、弾道ミサイル防衛（BMD）用に迎撃ミサイルを配備しているが、それらのうち地上配備型GBI＊迎撃ミサイルと艦艇配備型のSM-3迎撃ミサイルは、衛星を攻撃する能力を備えている。

　実際、2008年2月に米海軍イージス巡洋艦「レイク・エリー」から発射されたSM-3は高度240キロの米偵察衛星を破壊している。SM-3は本来、弾道ミサイルをミッドコースと呼ばれる大気圏外において下から打ち上げる形で直撃させて迎撃するものだが、簡易的なソフトウェアの書き換えを加えただけで衛星への直撃ができたと言われている。

　射高1450キロに達するSM-3ブロック2AはLEO上の衛星に対する直接攻撃能力を保持しており、自衛隊はこれまでに90発の購入を決定している。

＊RPO：Rendezvous and Proximity Operations、衛星を目標の衛星に接近させる能力
＊XSS-10：eXperimental Small Satellite 10
＊GSSAP：Geosynchronous Space Situational Awareness Program
＊ISON：International Scientific Optical Network、国際科学光学ネットワーク
＊GBI：Ground Based Interceptor、米軍の弾道ミサイル防衛に用いられる弾道弾迎撃ミサイル

日本も導入するSM-3ブロック2Aをイージス艦やイージス・アショアに配備すれば、LEOを周回する中国の偵察衛星に対する攻撃能力を日本も獲得する（している）ことを意味する。ただ1発あたりおよそ35億円以上という高価格であるため、今後の追加調達数は限られることが予想される。

衛星に対するミサイル攻撃はデブリの発生を招く政治的ハードルが高いオプションではあるが、SM-3はすでに日本が既存の装備によって限定的であってもASAT能力を保有しつつあることを意味する。

● GBI迎撃ミサイル

一方のGBIは、44発がアラスカとカリフォルニアに配備されており、弾道ミサイル攻撃から米本土を守る役割を果たしている。GBIの速度は秒速8キロ前後と高速で、射高6000キロとも言われる。これらのスペックであればLEO上の衛星は十分、攻撃可能だと言える。

GBIは、地上レーダーによって目標ミサイルの未来予測位置まで誘導された後に、EKV*と呼ばれる迎撃体の赤外線シーカーが最終的には目標への直撃に導いていく。

そのため衛星の迎撃率は太陽光の影響、衛星本体の表面温度、作戦環境の温度によって左右されるだろう。

● 謎の宇宙往還機X-37B

2019年10月27日、フロリダにあるNASAケネディ宇宙センターに、X-37Bが降り立った。スペースシャトルを思わせる機体は航空機のように着陸した。

全長わずか9メートル弱、翼幅は5メートルに満たない無人の再利用可能な宇宙機だ。5回目の任務となる連続780日間にわたる宇宙での活動を終えての帰投だった（**図3-20**）。

＊EKV：Exoatmospheric Kill Vehicle、大気圏外迎撃体（GBIの弾頭部分）

（出典　米空軍）

　宇宙での活動内容、搭載されている中身、すべてが機密扱いで、米空軍は「将来の宇宙機に向けて技術の実験をやっている」としか明らかにしていない。

　少なくとも宇宙戦闘機のようなものではなく、宇宙での実験プラットフォームの役割を果たしているものと見られる。

● 楕円軌道の秘密

　中国やロシアがこのX-37Bに並々ならぬ関心を寄せていることを、ヘザー・ウィルソン空軍長官が2019年7月のアスペン安保フォーラムで明らかにしている。

　氏によれば、X-37Bが各国の眼から逃れて機密性を維持できている理由は、その楕円軌道にあるという。「卵のような軌道を描いてX-37Bは地球に最も近づいた時、大気圏の近くで機動できる」、「だから敵はX-37Bの軌道を予測できなくなる。X-37Bが何をしているかを知ることはできない。敵対国がそれに苛立っている。それは非常にうれしいことだ」。

　どういうことだろうか？

　X-37Bは、**図3-21**のような楕円軌道を描いて飛行しており、地球の大気圏に最も近づいたところで航空機のような機動をすることで、軌道変更が可能だ。通常、天体の周りを回っている衛星はほぼ単純な円を描くように飛んでいるため、軌道の予測が容易であるから追跡が可能だが、X-37Bにはそれが当てはまらない。

▼図3-21：X-37Bの楕円軌道

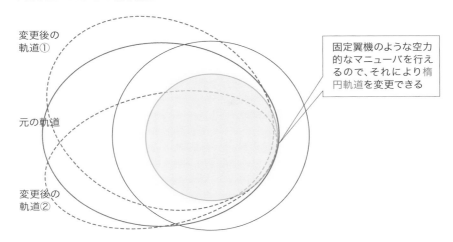

変更後の軌道①

元の軌道

変更後の軌道②

固定翼機のような空力的なマニューバを行えるので、それにより楕円軌道を変更できる

　楕円軌道を描くX-37Bは軌道を変えることができるため、秘密の実験や任務を行っている、地球から最も離れた遠地点がどこになるのか、敵対国は予測ができない。そのためX-37Bがどのような活動をしているのか、宇宙望遠鏡で見たり、レーダーで観察することが困難なのだ。

　ウィルソン空軍長官（当時）は、中国やロシアを念頭に、敵対国がそれに苛立つことがうれしくて仕方がない、と言っているのである。

　このX-37Bが今後、宇宙戦闘機、宇宙攻撃機のようなものに結実していくのかどうかは不明だ。米空軍のハイテン中将は、CBSテレビのドキュメンタリー番組「60ミニッツ」で、宇宙兵器の存在について質されると「我々の能力は機動による回避や電波妨害だけではない。しかしこれ以上は言えない」と明言を避けている。

　宇宙攻撃兵器開発の実態は不明であるものの、遠くない将来、攻撃能力をもった衛星の配備を視野に入れている可能性が十分あることだけは言えそうだ。

　そのヒントが、国防総省傘下の先端技術研究機関であるDARPA＊のプログラムにあった。

＊DARPA：Defense Advanced Research Projects Agency、国防高等研究計画局。ダーパ

● ロボット人工衛星RSGS

　DARPAが進めているRSGS（Robotic Servicing of Geosynchronous Satellites、静止衛星用ロボット）は、GEOにおいて衛星を修理する宇宙機（Spacecraft）を2022年までに開発することを目指すものだ。まだコンセプト図の域を出ていないが、RSGSには米軍の攻撃的宇宙戦の能力が凝縮されている。

▼**図3-22**：ロボット人工衛星RSGSの概念図

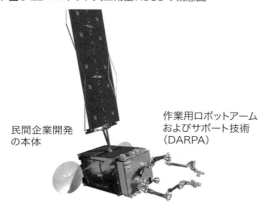

民間企業開発
の本体

作業用ロボットアーム
およびサポート技術
（DARPA）

DARPA：Defense Advanced Research Projects Agency、アメリカ国防高等研究計画局

（出典　DARPA）

　RSGSは、作業用のロボットアームを複数、備えている。その目的はGEOにある高価値の衛星の修理や寿命延長だ。

　ロボットアームが届くくらいの近距離にまで対象の衛星に接近すると、搭載カメラで故障個所や修理箇所を視覚的に確認しながらロボットアームを使って修理を行うという。修理が終わった衛星を押して、元の軌道に戻してやるということも目指されている。

　いずれの能力も衛星の修理だけでなく、衛星の攻撃にそのまま転用可能なものとなる。接近して確認する、ということは偵察であり、ロボットアームで修理する、部品を交換する、ということはロボットアームを使って衛星を故障させたり破壊したりすることにもなる。衛星を元の軌道に戻すということは、衛星を押して軌道から飛ばしてしまう、ということにもなる。

もちろん米軍のニーズとしてGPS衛星や早期警戒衛星といったGEO上の高価な衛星の寿命を延ばすための修理という本来目的のニーズが高いことは間違いない。

だが、同時にこうした能力を保持することで、将来、宇宙攻撃兵器の配備という政策転換に備えている側面もあると考えていいだろう。

宇宙戦の4つの特性

「宇宙は戦闘領域になった」というスローガンのもと、米軍は今、急ピッチで宇宙での戦いに備えようとしている。宇宙における米中の戦略競争はどのような展開をもたらすのだろうか。宇宙戦や宇宙での競争を考える際に押さえておくべき宇宙戦の特性を4つ挙げたい。

①デブリの回避
②SSA（宇宙状況認識）の重要性
③攻撃側の優位性
④核運用との密接な関連

● ①デブリの回避

第一に、デブリ（**図3-23**）を発生させるような物理的破壊を伴う攻撃は、心理的、政治的ハードルが高いという特徴がある。ミサイルや発射体（KKV*）を使って衛星を攻撃すると、宇宙空間に破壊に伴う破片を四散させることになる。宇宙デブリが増えて宇宙の安定した利用が更に危ぶまれる状況になることは、自国、相手国問わずすべてのアクターにとって不利益となる。

＊KKV：Kinetic Kill Vehicle、運動エネルギー迎撃体

▼図3-23：地球の周りを飛ぶデブリのイメージ

(出典　欧州宇宙機関)

　そのため、宇宙戦において相手国の宇宙アセットを無力化させる手段は、電波妨害や
サイバー攻撃、レーザー照射といった「ノンキネティック」(Non-Kinetic) な手段が主流
となることが予想される。

　他方で、国家存亡の時に、つまり「やるか、やられるか」という時に国家が将来の宇宙
利用の妨げになることに配慮して、あえて穏当な手段を選ぶ自己制約、自己規制を本当
に働かせるのか、という疑問は残る。

　ノンキネティックな手段は、前述の通り攻撃効果の判定が容易ではなく、どこまで中
心手段として依存していいのか、というデメリットがある。相手の衛星アセットを確実に
即時に無力化したいのであれば、戦略目標の達成のためにデブリを発生させることも甘
受して物理的破壊を狙う、というシナリオは否定できないだろう。

　つまり、デブリ発生の忌避というドライブは民生利用では当然視されても、軍事利用
においては当然視することはできないのではないだろうか。各国がデブリを発生させる
ような攻撃手段には訴えない、という期待を前提に政策立案をすることは危険と言える
かもしれない。

● ② SSA（宇宙状況認識）の重要性

　宇宙戦の第2の特性は、衛星がどういう状態なのか、宇宙空間で相手がどのような動きを取ろうとしているのか、それを知るSSA（宇宙状況認識）ができなければ何も始まらない、という点だ。SSAは、デブリを避ける、宇宙ロケットを誘導する、衛星を周回させる、相手の衛星を無力化する、など、軍民にまたがるあらゆる活動の前提要素だ。

　宇宙で何が起きているか、を知るSSAのデータは宇宙を利用するすべてのアクターがその利益や恩恵を享受できる国際公共財とも言える。

　そのため宇宙状況データという国際公共財を提供するSSAネットワークを、例えば各国で分担、協力して構築することは、競争が協調されがちな宇宙ドメインにおける国際協力の実現のきっかけになるかもしれない。

　しかし戦略競争下における米中双方の不信感は根強いものがあり、中国が米国主導の宇宙秩序を忌避して、国際協力や連携の道を選ばず、自前のSSAネットワーク、SSA陣営を追求する可能性も否定できない。

　実際、GPSは誰もが享受・利用できる、米国が提供する国際公共財的なサービスだが、米国もSSAの国際的枠組み作りでは西側陣営中心のものには積極的ではあるものの、中国も招き入れた枠組みには消極姿勢を示しているほか、当初はGPSを利用していた中国も結局は多大なコストをかけて自前の測位システム「北斗」を構築するなど、米中ともに独自路線を選択している。中国から見れば、精密攻撃や位置把握といった軍事作戦にも利用するGPSを米国に依存すれば、有事の際に米国がGPSの精度をわざと低下させるなどして中国の軍事作戦を阻害できることから、中国が独自の測位衛星ネットワークの構築を選んだのは当然と言えば当然とも言えるかもしれない。

　今後も米中両国はゼロサム的な独自路線を選ぶのか、それとも国際協力を志向するのか、SSAは宇宙競争の行方を占う試金石となるだろう。

● ③攻撃側の優位性

第3の宇宙戦の特性は、防御よりも攻撃が圧倒的に有利であることだ。

その理由は、衛星が攻撃に対して脆弱という点にある。軍艦や戦車とは違って衛星には装甲は施されておらず、機動によって攻撃を避けるのも容易ではない。小型の衛星に装甲を施そうとすれば、搭載すべき他の機能を犠牲にしなければならなくなる上、装甲を施したとしても秒速7キロの高速で衛星が周回している中で、高速の運動エネルギーがもたらす衝突の衝撃に耐えられる装甲はそもそもあり得ないだろう。

攻撃を避けるにしても、衛星の高い機動性、状況にすぐに対応できる即応性が求められ、その技術的ハードルは高いし、仮に技術的に克服できたとしても、高コストとなるのは間違いないだろう。

攻撃側の優位性の背景には、攻撃源の特定が難しいという事情もある。

これまで議論してきた通り、電波妨害やサイバー攻撃といったノンキネティックな攻撃手段を取った場合、誰がどこから攻撃しているのかを特定するのは容易ではない。特定できたとしても時間を要するため、特定できた時には攻撃は終わって敵は戦術目標を達成した後かもしれない。場合によっては攻撃側としては自己の犯行だと特定されないまま、防御側の反撃を招くことなく攻撃を終了できる余地すらある。

こうした事情から、宇宙戦闘においては防御が高コストかつ脆弱であるため、防御よりも攻撃を選ぶインセンティブが働きやすい特性がある。

米軍も、こうした状況にただ手をこまぬいているわけではない。すでに述べたように、米軍は防御の脆弱性を小型衛星の大量配備によって克服しようとしている。一部の衛星が無力化されてもその他の多くの衛星によって機能を維持するという考えだ。

攻撃のメリットが少ないとなれば敵は攻撃を思いとどまり、従来の攻撃優位を転換させられるかもしれない、つまり抑止力が機能する可能性も出てくるかもしれない。

この戦略的安定性の観点からも小型衛星によるメガコンステレーションは無視できないインパクトを秘めている。

● ④核運用との密接な関連

そして最後の4つ目の特性が、核戦力と宇宙は密接にかかわっているという点だ。

国家防衛の最後の柱とも言える核戦力の運用には宇宙アセット（**図3-24**）が欠かせない。敵の核攻撃を探知する早期機警戒衛星、核戦争時に大統領ら政治指導部と軍の間の通信を担う通信衛星は、まさに核戦争時において国家の眼であり耳となる。

これらの衛星が無力化されるということは国家の眼と耳を失うことを意味し、敵の攻撃を探知することもできなくなり、反撃することもできなくなってしまう。宇宙アセットが無力化されることは核戦力を揺るがすことになるとして過剰反応を引き出すリスクがある。

▼**図3-24**：弾道ミサイル防衛における宇宙アセットの役割

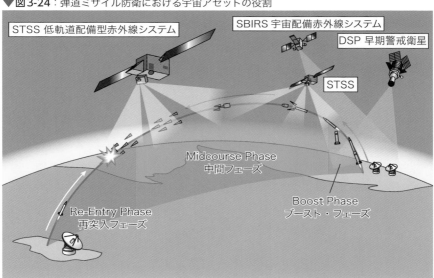

（出典　ノースロップ・グラマン社）

攻撃を受ける側の過剰反応を引き出すことで紛争がエスカレートしていくリスクがあることが、宇宙アセットに対する攻撃に伴う最も懸念されることだ。だからこそ、宇宙アセットに対する攻撃には、より慎重になるべきだという意見が根強くある。

● CSBAのエアシーバトル構想

　こうした議論は、かつてCSBA*という米国を代表する軍事シンクタンクが発表した対中軍事作戦コンセプト、エアシーバトル（AirSea Battle）に対する反論においても見られた。

　エアシーバトルコンセプトは、最終的に中国のA2/ADを無力化するには中国本土の内陸部に所在するASAT関連施設に対する打撃を加えることで、中国のミサイル戦力を支える指揮通信能力を無力化させることを主張していた。

　図3-25の地図を見れば、地対空ミサイルで守られた宇宙関連施設が、中国の内陸部深くに所在しているのがわかる。こうした内陸部に対する縦深攻撃（Deep Strike）は、そもそも政治的には非常に挑発的な手段と言えるが、批判は軍事的な観点からも寄せられた。

▼**図3-25**：中国内陸部に所在するASAT関連施設

（図2-28を再掲。出典　CSBA（米戦略予算評価センター））

＊ CSBA：Center for Strategic and Budgetary Assessments、米戦略予算評価センター

CSBAの狙いは、あくまで通常戦力の動きを減衰（degrade）させるために宇宙アセットを無力化させることであり、核戦力の無力化までは企図されていなかった。しかし、米国議会や専門家からは「中国の眼と耳を攻撃すれば、中国をパニックに陥らせて核攻撃を招きかねない」という批判が出されたのである。

この教訓を踏まえるならば、宇宙アセットに対する攻撃は相手国に対して核攻撃の前兆だと思わせない程度にコントロールをすることが必要となるが、それが果たして可能なのか、どのアセットに対するどのような攻撃効果であれば、こちらに核攻撃へのエスカレーションの意図がないシグナリングになり得るのか、宇宙戦における永遠の課題と言えよう。

宇宙の軍事利用（ブルーウォーター）

ここまでは、ブラウンウォーター（Brown Water）と言われる、地上における軍事活動を支援するための宇宙利用を議論してきた。その多くは地球近くの軌道上での活動を指す。一方でブルーウォーター（Blue Water）の宇宙利用では、月や火星の探査、宇宙空間における優越的な活動などが目的であり、活動範囲も地球周辺から離れて、月と地球の間の「シスルナ」（Cislunar）と呼ばれる宇宙空間や月そのものに及ぶ。

今、宇宙ベンチャーの参入、NASAの民活方針による月探査、火星探査の計画など、地球周辺での活動（ブラウンウォーター）から、深宇宙を目指すブルーウォーターへと注目が移り始めている。

NASAは火星探査を目指すことを発表しているほか、「アルテミス計画」に基づいて月周回軌道上に宇宙ステーション「ゲートウェイ」を作ることを表明しており、日本も参加を表明している。早ければ2022年ころから建設を開始し、2026年頃から運用を開始するとしている。

また、企業による天体の宇宙資源の採掘、所有を認める法律を米議会が2015年に制定したことを受けて、民間のベンチャーも月開発に乗り出そうとしている。

図3-26の概念図にあるようにNASAは「ゲートウェイ」を中継拠点にして、そこから月面に人間や物資を送り込むことを考えている。2024年までに月面への有人着陸を実現させ、月面において人間が長期滞在できる月面基地を最終的に建設しようという野心的

な計画だ。

▼**図3-26**：月探査に向けた工程表

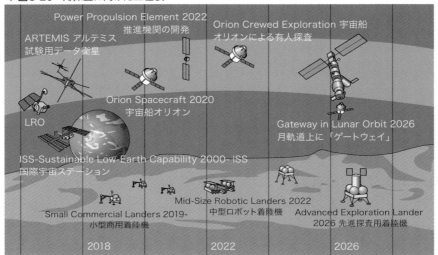

（出典　NASA）

▌Cislunar（月・地球間）での宇宙戦を見据える米軍

　こうした民間分野の月探査計画の活発化の裏で安全保障の分野においても今、静かに深宇宙への進出が議論され始めている。キーワードは「月・地球領域」（Cislunar Domain）と「宇宙優越」（Space Superiority）だ。月と地球との間の宇宙空間における排他的な優位性を維持する、つまり月と地球の間の広大な宇宙空間における宇宙戦を意識した米中競争が始まりつつある。

　シスルナ（Cislunar）とは、**図3-27**に示すように、月と地球の間の宇宙空間を指す言葉だが、月と地球の間には40万キロの距離がある。月は地球から最も近い天体で、早ければ5日間ほどで到達できる。なお、火星は150倍の距離にあり6か月かかると言われる。

▼**図3-27**：月・地球間（シスルナ）の宇宙空間

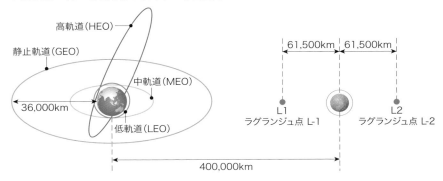

LEO：Low Earth Orbit
MEO：Medium Earth Orbit
GEO：Geostationary Earth Orbit
HEO：High Earth Orbit

そのシスルナにおける宇宙戦を米空軍は見据えつつある。

読者の方々には突飛なことのように聞こえるだろう。

だが、月・地球間の宇宙空間における将来の宇宙戦に向けた取り組みは、すでに始められている。一例として、米空軍が立ち上げた民間技術取り込みのためのプラットフォーム「AFWERX」（アフワークス）を見てみよう。

● 空軍のAFWERX

AFWERXは、先端技術を活かした戦いに備えるため、ベンチャー企業の技術を迅速に取り込むことを目的にしたものだ。ベンチャー側の技術のデモやプレゼンを米空軍が審査して、芽がありそうなものには時間がかかる通常の調達プロセスを省いて研究資金を投資する。

そのAFWERXにおいて、米空軍が求める技術事項の中に「Cislunar Space Operations」、つまり「月・地球間の宇宙空間における宇宙作戦」という項目がある。

そこでは「米空軍は将来のシスルナでの作戦を支える宇宙状況認識のイノベーションを求める」として、次の通り募集する技術を列挙している。

- 宇宙配備の広範囲を探索可能なセンサー
- Cislunar Space Operation のための測位技術のコンセプト
- シスルナにおける軌道や軌跡のビジュアル化技術
- シスルナ空間の地理空間的な状況認識コンセプト

　それだけではない。米空軍宇宙司令部傘下の作業チームがまとめた報告書（**図3-28**）を見れば、およそSFのような言葉が並んでいる。2060年（！）の宇宙を見据えて米国の戦略への影響をシナリオ別にまとめたもので、NASAや米軍、研究者など中堅の新進気鋭の宇宙専門家たちが参画している。

　この報告書に書かれていることがただちに米空軍の宇宙戦略になるわけではないことに注意が必要だが、米空軍宇宙司令部はこの報告書も参考にしながら今後、宇宙戦略の検討作業を進めるという。

▼**図3-28**：「2060年の宇宙空間」掲載の図版「Eight space future scenarios」（将来の8つのシナリオ）

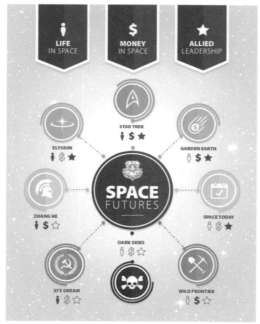

(出典　米空軍)

● 2060年の宇宙空間

　報告書は2060年の世界では宇宙における潜在力を最大化できた国家が政治、経済、軍事の国力を増進させられると指摘する。

　そのうえで中国は商業、軍事の両面から月の探査を含めてシスルナ領域の開発を進め、米国が占めている宇宙大国としての地位を奪おうとしていると警戒感を露わにする。「先進的な宇宙大国でい続けられなければ米国の国力は危機にさらされる」ため、「宇宙において最も重要な機能とは軍事である」と断言する。

　次いで「シスルナ領域における宇宙優越を達成するために戦力を投射する」、「宇宙におけるフルスケールの戦争に備える」と指摘する。

　具体的には、地球における戦いと同様に宇宙における戦いでも状況認識が重要だとして「シスルナ環境に関する状況認識能力を確保し、宇宙作戦を可能とするためC4ISR＊を確保する」としている。

　宇宙における優越を確保するには、中国を念頭に「他国が月の極地やラグランジュ点といった重要な補給地点や月における資源や小惑星を軍事利用に独占することを未然に抑止する」と述べている。

▌戦略的高地、戦略的要衝としてのラグランジュ点

　報告書が中国により占有されることを警戒するラグランジュ点とはどういったものなのだろうか。

　海上交通にチョークポイントという重要な結節点があるように、月と地球が位置するシスルナ宇宙空間にも、ラグランジュ点と呼ばれる重力上の重要点が5つある。L1からL5と名付けられた「天体と天体の重力の釣り合いが取れた点」なのだという。

　そこは、ほぼ完全無重力に近いため、摂動、つまり力学的乱れがない空間とされる。L4とL5が一定の空間である一方、L1〜L3はピンポイントの空間で、ラグランジュ点に衛星を展開すれば、無重力なうえに太陽風の影響もほぼない、衛星にとって好都合な場所だ。

＊C4ISR：指揮（Command）、統制（Control）、通信（Communication）、コンピューター（Computer）、情報（Intelligence）、監視（Surveillance）、偵察（Reconnaissance）

● 推進剤不要のラグランジュ点

地球周辺では、わずかな空気や太陽風などによって摂動が生じるため、衛星は自分の姿勢を制御したりするたびに推進剤を消費する。デブリが接近する恐れがあれば、衝突を回避するためにまた推進剤を使うことになる。衛星の寿命を決めるのは推進剤と言われ、燃料がなくなった段階で補給ができないため衛星は寿命を終えたとして放棄されてしまう。

そのため、できるだけ推進剤を使わないことが寿命を左右するが、ラグランジュ点では位置修正や姿勢制御のために推進剤を使わなくてもいいメリットがある。

従って、ラグランジュ点に衛星を置き、重力の影響を受けずに電力が確保できれば、これまで以上に長期間、その機能を維持できることになる。

● 戦略的要衝L2

またラグランジュ点の1つであるL2は、その位置そのものが重要でもある（**図3-27**参照）。地球から見てちょうど月の裏側にあり、地球から見通すことはできない。月の裏側に月面基地などを作った場合、L2に置いた通信衛星を介してしか地球とは交信ができないことになる。そのため月の裏側で活動をする際は必ず押さえなければいけない戦略的要衝と言える。

月そのものも、宇宙戦の観点から言えば、地球に対して優位な戦略的高地（Strategic Height）として位置している（**図3-29**）。月の重力は地球の6分の1であることから、月から地球へはより少ないエネルギーでアクセスが容易となる。逆に地球から月へは、月の6倍ある地球の重力から自由にならなければいけないため、4000マイル上にロケットを打ち上げるエネルギーが必要になる。

高地から低地へのアクセスが容易、つまり高地をとれば攻撃で有利となるのと同様に、重力が低い場所や無重力の場所は宇宙においては「高地」にあたり、先にそのポジションを取った者が優位に立てることを意味する。

▼図3-29：戦略的高地としての月

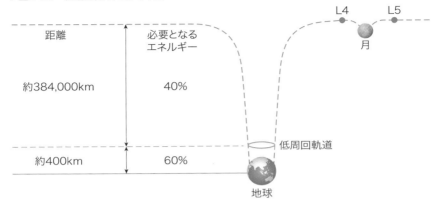

▌シスルナにおける中国の台頭

　その宇宙における戦略的高地へのアクセスを成功させて世界を驚かせたのが、中国だ。中国がアクセスに成功した戦略的高地とは月の裏側にある南極の盆地とL2だ。

● 月の裏側

　2019年1月2日、人類で初めて月の裏側に中国国家航天局（CNSA）の無人探査機「嫦娥（じょうが）4号」が着陸に成功。月の裏側の写真を地球に送ったほか、月面探査ローバー「玉兎2号」を降ろして、月の裏側で最大とされるクレーターのサンプルも採取した。

▼図3-30：無人探査機「嫦娥4号」

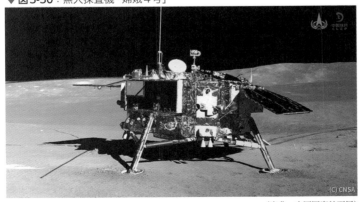

（出典　中国国家航天局）

● 南極の水資源

この着陸の戦略的意義は、月の裏側というだけでなく、月の南極付近という場所にもある。月の南極には永久に陽が差さない場所があり、そこは常に極低温であるために氷状となった水資源があると見られている。

水は将来、月面基地ができた際に人間が長期滞在する上で必須となるだけでなく、水を電気分解すれば酸素と水素となるが、酸素は酸化剤、水素は燃料となる。つまり燃料を月面で確保することができることになる。

月面でロケット燃料が確保できれば、わざわざ地球から燃料を運んでくる必要がなくなり、月を拠点にした火星探査にも弾みがつくと期待されている。

月の探査、開発をビジネス化しようと熱い視線を注いでいる民間企業だけでなく、シスルナを舞台にしたブルーウォーター宇宙利用を視野に入れる米中両国にとっても、月の極地にある資源は今後の宇宙開発の基盤にもなる戦略物資になり得る。

今、米中をはじめ各国はこの月開発に有利となる極地における「ベストポジション」争いを繰り広げようとしている。その中で、米国やインド、ロシア、日本などの宇宙大国に先駆けて中国は、月の裏側と南極という「戦略的高地」に一番乗りを果たしたのであった。

● 戦略的高地ラグランジュ点L-2も確保

そして中国は、もう1つの戦略的高地も押さえた。ラグランジュ点L-2だ。月の裏側に位置するL-2軌道に通信中継衛星（リレー衛星）を配置して、地球との交信に利用したのであった（**図3-31**）。

地球からは見えない月の裏側にいる衛星に地球から指令を出すには、L-2に通信を中継する衛星を配置しなければならない。

▼**図3-31**：中国による月の裏面への着陸におけるリレー衛星

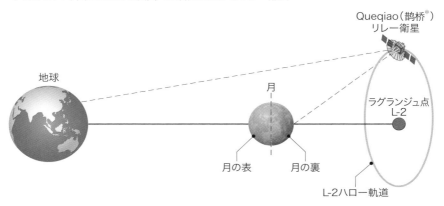

● L-2の戦略的意味

　L-2軌道を周回する衛星は地球と交信する時には地球から見える軌道になるが、それ以外の軌道ではちょうど月を盾にして隠れる格好となる。地球からの宇宙望遠鏡やレーダーでは月の裏側で何をやっているのか、わからない。L-2は重力の観点で前述した通り地球や地球周辺の軌道へのアクセスが（攻撃も）容易であるだけでなく、地球から偵察できない絶好の隠れ場なのだ。

　この隠れ場にアクセスした中国の動きには米軍の一部からはすでに警戒の声が上がっている。米空軍国家航空宇宙情報センター（NASIC*）でインテリジェンス・エンジニアを務めるJeff Gossel氏は、2018年10月に空軍協会のイベントで、中国が将来、L-2近辺や月の裏側に宇宙兵器を配備することができると警鐘を鳴らした。

　Gossel氏は「月の裏側からGEOにある衛星に物体を飛ばすこともできる」と述べ、地球からは攻撃が比較的難しいGEO上の衛星に対する攻撃は、月周辺からなら容易だと指摘する。

　そのうえで「なぜ中国はわざわざL-2に中継衛星を飛ばしたのだろうか？　月の裏側と交信するため？　それとも月の裏側を飛べるからか？　我々のGEO上にある衛星にとってどういう意味があるのか？」と、月の裏側からGEO上の衛星を攻撃する可能性が

＊ NASIC：National Air and Space Intelligence Center
＊ 鵲橋：織女が七夕で天の川を渡る時の「カササギの橋」

あると示唆する。

　中国の宇宙政策に詳しいNamrata Goswami氏によれば、中国は今後、嫦娥5号、6号を飛ばして、半自動で月との往復を実現させ、2030年までに月南極に足場を築くことを目指す。

　それを可能とする超大型ロケット長征9号の開発を進め、50トンのペイロードを月に送りこむことを目指しているという。

　このほかにも、原子力推進の宇宙船の開発を進めて2040年までにテストフライトを実施し、月での資源採掘の足掛かりにしたいという。

● 宇宙配備型太陽光発電の計画

　更には、宇宙配備型の太陽光発電基地の計画も進めている（**図3-32**）。

　重慶大学や中国宇宙科学院などによる共同計画で、宇宙で発電してマイクロ波に乗せて地表に送電するという構想だ。まずは重慶市内の試験施設を立ち上げ、ソーラーパネルを備えた風船からのマイクロ波送信の実験を試みるとしている。

▼図3-32：宇宙配備型太陽光発電の概念図

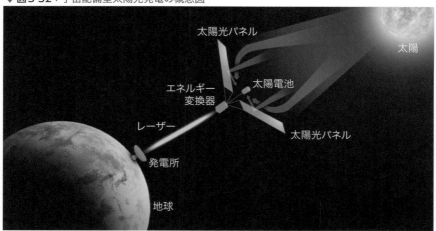

（出典　「フォーブス」誌）

　荒唐無稽にも聞こえるかもしれない宇宙太陽光発電構想だが、実は米空軍も研究を進めている。「太陽光発電デモ研究計画」（SSPIDR：Space Solar Power Incremental Demonstrations and Research Project）と呼ばれる計画で、ノースロップ・グラマン社

との共同だ。

宇宙空間は太陽光の発電効率が最も高いと言われ、実現すれば24時間、無料かつ無尽蔵のエネルギー源を確保できる利点がある。

米軍は宇宙から送電できれば、戦場における危険な燃料補給も不要となると期待を寄せているが、地上で受電するソーラーパネルだけでフットボール場の2倍の大きさが必要とも言われ、研究段階の域を出ていないという。また、日本でもJAXAが同様の研究を続けている。

● ビーム送電 (ビーム攻撃)

日米中が研究開発を続ける宇宙配備型の太陽光発電によるビーム送電について、米空軍のクワスト元中将は「宇宙からビームやマイクロ波を地表に照射できるということは、宇宙から地表の軍事目標も狙うこともできる」と指摘する (**図3-33**)。

▼**図3-33**：宇宙から地表へのビーム攻撃のイメージ

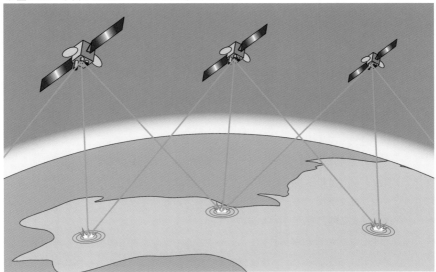

未来のSFのような構想ではあるものの、民生用の発電技術も使い方によっては、とてつもない攻撃兵器になり得るという、軍民両用のもう1つの例と言えるかもしれない。

この技術が仮に実現すれば、宇宙から地球のどの地点に対しても瞬時にビーム攻撃が

可能となるため、既存の軍事力や戦争のあり方を根本的に変えてしまうゲームチェンジャー（Game Changer）となる可能性を秘めている。

　たとえ小国であっても、こうした技術力があれば強大な軍事力を手に入れることが可能となるかもしれず、国力や軍事力が従来の人口や国土、経済力の大小によって定義されなくなることにもなる。まさに、既存の常識を覆すゲームチェンジャーだ。

● 買わない宝くじは当たらない

　見通せる将来の範囲では、実現可能性は低い。しかし、ひとたび実現すれば、既存の概念を根本から覆すポテンシャルを秘める。ブルーウォーターに代表される宇宙にかかわる世界が、まさにそうだ。

　まるでSFのように聞こえる構想や研究を各国が大真面目に取り組んで、万が一の戦略的インパクトを手に入れようとしている。

　そのインパクトを考えれば、ゲームから完全に降りるという選択肢は国家としてはあり得ないだろう。宝くじは当たらない確率が圧倒的に高いが、その一方で買わなければ当たらないことがそこで確定してしまう。

　だからといってリソースは無尽蔵ではないため、技術の目利きをして投資を続けることになる。リソースの制約を踏まえて、どういう技術を伸ばしていくのか。将来の変化に備えて、どのような能力を構築しておくのか。

　安全保障においても将来の戦いを見据えて目利きが必要となるが、足元である国内には意外と将来の隠れた技術があったりする。軍民両用というレンズで民間技術を見ていけば、日本にも米国にも多くの隠れた宇宙戦能力がある。

● 「はやぶさ2」に隠された宇宙戦能力

　JAXAの「はやぶさ2」は軍事技術と民間（宇宙）技術は表裏一体だという典型例だ。

　「はやぶさ2」は、ローバーを小惑星に展開。人工クレーターを作って地中のサンプルを収集した後、地球に帰還する。

　このミッションにおける誘導は「日本からブラジルにいるテントウムシにボールを当てるくらいの難しさ」（JAXA）だともたとえられる。「はやぶさ2」の高精度の着陸技術には画像処理技術が使われており、巡航ミサイルなどの誘導技術とも共通するものだ。

　更に「はやぶさ2」には「衝突装置」が装備されており、重さ2キロほどの銅の弾を爆薬の力で高速で打ち出して、小惑星の表面に穴を作る。クレーターを作ることで地中のサンプルを収集することを目的としている。

　他方で、これはそのまま衛星攻撃に転用すれば立派な宇宙攻撃兵器にもなる。「衝突装置」は「射撃装置」と同じ機能だ。

　「ライナ」と呼ばれる銅の弾の速度は秒速2キロと、ライフル銃の弾丸よりも高速である。これだけの高速の弾を正確に小惑星に（目標に）志向させる姿勢制御技術、短距離でこれだけの高速に加速させて射出（射撃）する技術、いずれも宇宙戦闘における対衛星攻撃に必須の技術だ。

　こうした高度な技術を限られた予算の中で実用化させている研究開発の現場にはこうした発想はなく、ひとえに宇宙開発の発展のため、という自負のもとで行われている。

　他方で安全保障の観点から見れば、そうした民生用の高度な技術は安全保障においても非常に意義のある技術であるとも言え、日本の国益に還元する上でどう利活用していくのか、という議論の余地は大いにあると言えよう。

▼図3-34：「はやぶさ2」

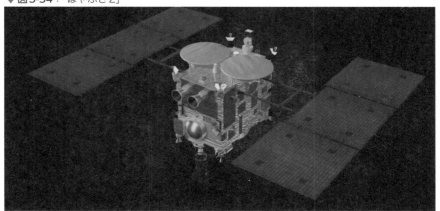

（出典　JAXA）

安全保障分野における日本の宇宙利用

● SSAの構築

　安全保障面における当面の日本の宇宙への取り組みの重点は、SSA（宇宙状況認識）の構築にある。

　具体的には、山口県に新たに宇宙監視レーダーの建設を行うほか、JAXAも岡山県にある自前の宇宙望遠鏡のアップグレードを予定している。まず、宇宙での活動以前に宇宙で何が起こっているかを把握することから始めている段階にあると言っていいだろう。このほかにも防衛省が運用するXバンド防衛通信衛星に敵の衛星が接近して来ないか、などを把握するため宇宙配備型の光学望遠鏡の配備も今後行っていく。

　防衛通信衛星は、自衛隊の部隊間の通信を担うもので、宇宙基本法の改正で、安全保障専用の通信衛星の保有が認められることにより整備することになった経緯がある。小口径アンテナによる大容量通信を可能とするKa帯、雨による減衰に強いX帯などを活用して情報通信能力の抗たん性の強化を図っていて、2022年度までに3基体制とすることを目指している。

　更に、JAXA運用の衛星に相乗りする形で、2波長赤外線センサーの宇宙での実証研究も進めようとしている。これは弾道ミサイルの発射を赤外線で探知する日本版の早期警戒衛星を視野に入れているとされる（**図3-35**）。

▼図3-35：日本版の早期警戒衛星

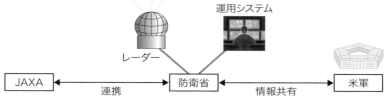

（出典　平成31年度概算要求資料（防衛省））

● 宇宙の安定的利用の研究

　また、「宇宙の安定的利用の確保」という名目で、自国の宇宙アセットを守るための積極的対抗能力の獲得も視野に入れた研究を始めている。中国の衛星のアップリンクに対する電波妨害を想定してXバンド衛星に対する照射実験がすでに行われており、将来、地上配備型の電波妨害装置の導入が進められる可能性がある。

　この電波妨害装置は米中衝突や台湾有事の際の主戦場となる西太平洋における中国の状況認識能力を低下させることを想定している。南西諸島付近から妨害電波を中国の軍事通信衛星に照射することで、付近を行動中の中国軍部隊と中国本土の司令部との意思疎通を妨害する狙いがある。

　ただ、これがただちに中国軍の動きを鈍らせる効果があるかどうかは議論の余地が残る。他にも中国軍のミサイル運用を阻害する方法として、それを支える目標情報の取得を妨げたり、ミサイルの正確な誘導を妨害することなどが挙げられる。

● リレー衛星の妨害

　具体的には、日本上空を周回する偵察衛星の光学カメラをレーザー照射などによって一時的に機能停止させる方法などがあるが、同時にリレー衛星に対する妨害も有効となる。

　図3-36にあるように、偵察衛星が取得したデータは地上の基地に直接、ダウンリンクできないため、リレー衛星が偵察衛星と地上通信基地の間の情報を中継する役割を担っている。前述の米軍のキルチェーンと同様に中国もまた衛星にキルチェーンを依存しており、リレー衛星はそれを支える重要な役割を果たしている。情報が中継されなければ、攻撃のサイクルであるキルチェーンを機能させることはできなくなる。

▼図3-36：衛星に対する攻撃手段

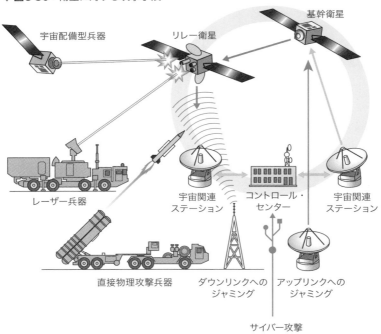

（出典 「フィナンシャル・タイムズ」紙）

　そのためリレー衛星に妨害をかければ、中国軍のキルチェーンを機能低下（degrade）、場合によっては断絶（disable）できるかもしれない。その方法としては直接、地上からレーザーや高出力マイクロ波を照射することも考えられるが（ここでは衛星に対するミ

サイルの直接攻撃や地上施設に対するサイバー攻撃などは省いて説明する）、基本的には地上からの妨害は難しいとされる。

なぜならリレー衛星が発する電波は宇宙空間もしくは中国上空を基本的には行き交うため、日本本土周辺からの妨害は届かないからだ。そのためリレー衛星に対する妨害は宇宙空間において衛星を使うのが最も効果的となる。

日本は、電波妨害については地上設備を、衛星の監視については地上設備と宇宙配備の光学望遠鏡を視野に入れているが、将来的に電波妨害についても宇宙配備型を視野に入れるかどうか大きな論点となるだろう。

● カギはSIGINT

その際、不可欠となるのが、中国の衛星がどのような周波数帯の電波を出しているのか、どのような用途で使われているのかを把握することだ。つまり「衛星の電波情報の収集」（SIGINT＊）がカギとなる。単に衛星がどこにいるかをSSA（宇宙状況認識）で把握するだけでは、状況は見えても、状況に対処することはできない。ただ、自国の衛星が攻撃や妨害を受けている様子がわかるだけ（もちろん、状況がわかることがすべての始まりではあるが）となってしまう。

そのため今、日本が進めているSSA能力の方向性は今後、衛星の位置や動きの把握だけにとどまらず、衛星が発する電波情報の蓄積というSIGINTとの融合が次のステップとなっていくかもしれない。

実際、米軍は電波傍受を行う衛星を長年、運用しており、中国の衛星に関する電波情報を蓄積してきている。こうした宇宙SIGINTも日本の宇宙能力のあり方だけでなく日米の宇宙協力における重要課題になる可能性を秘めている。

＊ SIGINT：Signals Intelligence

● 日本の宇宙アセットの活用

　他方で、防衛省における宇宙関連経費は年間500億円前後と、限られているのが現状だ。そのため中長期的には予算の制約の中で、どう宇宙能力を最大化させていくか、柔軟な発想が求められることになるだろう。ビジネスへの波及効果、技術力の発展、日本の防衛能力の強化、日米同盟の強化などに結び付く技術や能力、取り組みは何になるのか、を不確実性の中で見通していく「目利き」能力がオールジャパンで必要になるだろう。

　特に、宇宙においてはまだまだ攻撃優位の特性がある中で、防御一辺倒は費用対効果を更に悪化させる側面もある。リソースの制約が攻守のバランスがとれた宇宙での抑止力の構築を求める状況が遠くない将来にやってくる可能性もある。

　日本の宇宙アセットの防護、保全のあり方についてどこまで攻勢的な手段を採用するのか、攻守の能力のバランスをどう取るのか、を具体的な能力や技術に落とし込んで議論する状況がやってくるかもしれない。

　また、戦略文化や組織文化の変革も重要となる。防衛省とJAXAはこれまでJAXAが岡山県に保有する宇宙望遠鏡を日米SSA協力に活用するなど、連携を進めている。ただ、この連携もまだ歴史が浅く、もともと科学技術の発展という発想で研究開発を行っているJAXAと、安全保障の観点から宇宙を見る防衛省・自衛隊の認識ギャップはまだ大きい。

　日本における限られた宇宙アセットの活用を最大化させる意味でも、防衛省とJAXAがどこまで意識合わせをしながら有機的に連携できるかが、日本の宇宙安全保障能力を左右すると言える。

● 「かぐや」

　JAXAの月周回衛星「かぐや」も、視点を換えれば安全保障目的になる宇宙の特性を表している。「かぐや」は搭載レーダーによって月の地下に幅100メートルの空洞が50キロにわたって存在することを発見している。放射線や月面温度など月の環境は過酷であるため、将来の有人基地は地下に建設することが適当とされており、この地下空洞の発見は月面開発に向けて極めて大きなステップだ。

▼図3-37：月周回衛星「かぐや」

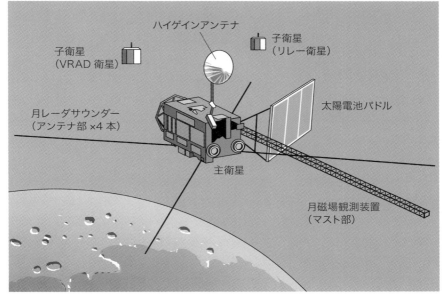

（出典　JAXA）

　また、レーダー高度計で677万地点を観測し、世界で初めて月全体の正確な地図を作製した。JAXAによれば、こうした地図は将来の月探査機の着陸地点や月面基地建設の候補地の決定に重要な役割を果たすという。

　どちらも科学技術や宇宙開発の観点から大きな意義があるが、安全保障上の意義もまた大きい。月面基地の建設候補地はそのまま月における軍事拠点の候補地を決定するデータになり得る。月に関する地図は今後、月への宇宙アセット投入において不可欠なデータとなるが、これもまた民生用にもなれば、軍事活動のためのデータにもなり得る。

　こうしたデータは科学技術の発展の観点から公開されて広く共有が可能となっているが、同時に自国の予算やリソースを費やして得た戦略上、軍事上、有用なデータをどう保護しつつ、国益に還元していくか、という発想も必要になってくるだろう。

　実際、「かぐや」によって得られた月面地図は、前述の中国の「嫦娥4号」による月の裏側への着陸に活用されたとも言われている。

今後は、開発した技術だけでなく運用を通じて得られたデータも民生、安保の両面で日本の貴重な資産となり得る。局面に応じて経済利益につなげたり、安全保障上の国益につなげたりするデュアルユースに対応した柔軟な戦略的発想が必要となるだろう。

● 米中宇宙競争の到来

「中国によって米国の宇宙システムが脅かされているだけでなく、米国の経済や貿易も脅かされている」　　　　　　　（エスパー国防長官、FOXテレビのインタビュー）

「我々は宇宙における中国の攻勢に備えなければならない。そう遠くない将来、中国は米国のすべての宇宙アセットを脅かすことができるようになるだろう」
　　　　　　　　　　　　（ハイテン米戦略軍司令官、2017年スタンフォード大学）

今、宇宙においては激しい先行利益を巡るレースが軍民両方の分野で始まっている。特に宇宙の軍事利用を巡る米中の競争においては、両国に対話を通じて軍拡をコントロールしようとする兆候は見られない。

かつて世界の超大国の地位にあった米国は海洋の分野においてルールメイキングを先導し、海洋の自由な利用という国際公共財を提供してきた。

だが、それもアングロサクソン優勢の時代の終焉とともに、米国の相対的な国力の低下と国内の内向き志向が進行。まだルールが確立していない宇宙分野において米国は単独での主導ではなく月探査などの国際協力を通じて宇宙におけるルール作りを試みようとしている。

しかし、国力増強が著しい中国は技術の観点からも自信を深めており、米国主導の国際協力スキームへの参加に応じる構えは見せておらず、むしろ先行利益の獲得を目指して単独行動を追求する可能性が強まっている。

中国による米国への挑戦は情報通信やAIなどのハイテク分野で激化しているが、宇宙においても中国からの挑戦に米国は身構えている。

今後、5Gのスタンダード作りに見られたような、米中のどちらのスタンダードや陣営

を選ぶのかを迫るような局面が宇宙におけるルール作りにも出現する恐れがある。

米国の日本に対する期待も高く、日米同盟の新たな課題として宇宙協力が台頭してくるのは時間の問題だと言えよう。官民を挙げて日本が米中宇宙競争時代において果たすべき役割は何か、どのような技術、能力を伸ばしていくのか、日本の意志が問われようとしている。

▌問われる日本の意志

では、具体的にどのような形で日本の意志が問われるのだろうか。

本章の最後に今後、日本の宇宙安全保障政策を形作っていくうえで、問われてくる論点をいくつか指摘したい。

● 日本独自の防衛に資する宇宙戦能力、役割とは何か？

政策や方向性を立てるうえでの大前提となるのは、日本は自分の身を守るうえで、つまり日本の安全保障のためにまずどのような宇宙能力を持つのか、を明確にすることだ。

当然、専守防衛という日本の国是とも言える基本方針と合致した能力、かつ予算は無尽蔵にあるわけではない中でリソースの制約下において費用対効果が高い能力やドクトリンを意識する必要があるだろう。

ASAT能力にはそれぞれ長短があり、かつ特性も異なることはすでに議論したが、それらを日本流の戦い方にどう組み合わせていくのか、が問われることになる。

民生技術の中でも防衛目的に応用可能なものは日本自身が気づいている以上にあるかもしれない。JAXAや民間企業、大学、研究機関、場合によっては海外のベンチャーも含めてどのような民生技術が低コストで応用、転用が可能かの棚卸しが大事だ。

その際、組織カルチャーも研究目的も異なる防衛省とJAXAがどう連携を深めていけるかも重要な要素となる。科学技術の発展と安全保障への活用という2つを掛け算、融合させられる、新たな政策立案力が期待される。

掛け算で言えば、宇宙以外のAIや量子技術といった先端技術をどう宇宙分野に応用していくかという視点も重要となろう。文理融合、理系内も分野横断、まさにクロスドメインな態勢による目的合理性、全体最適が意識されなければならない。

● 日米同盟に資する日本の宇宙戦能力、役割とは何か？

日本独自の能力構築が国家安全保障の基本であるとすれば、その応用は日米協力だ。米軍はすでに防御中心から脱却して宇宙攻撃兵器の開発に着手していると見られる。

防御面ではジャミングといった電波妨害が主軸になるだろう。更に今後は小型衛星によるメガコンステレーションをプラットフォームにしたBMDやAI利用の地理空間情報収集と解析、極超音速兵器の追尾、迎撃の議論が活発化してくるものと見られる。

特にメガコンステレーションを使った迎撃体発射プラットフォームの整備には巨額の予算が必要となるため、米国から日本の参画と費用負担の提案が来る可能性もあるだろう。

そのため、日米宇宙協力は現在のSSAでの連携の枠を超えて、宇宙戦を日米でどう役割分担するか、という「役割・任務」（Role & Mission）の議論が提起されるかもしれない。

● 中国の宇宙アセットの何が日本に脅威か？　その対応策は？

これまで宇宙利用がもっぱら学術目的の文脈で議論されてきた日本において、中国の宇宙アセットの進化が日本の防衛にどのような脅威を及ぼし得るのか、それに対して日本が取り得る実現可能性のある現実的なオプションとは何か、という広範な議論はほとんど行われてきていない。

すでに議論したように、日米で問題視されている中国のA2/AD能力の中核はミサイル戦力だ。巡航ミサイルや弾道ミサイル、対艦弾道ミサイル（ASBM）は遠距離からの精密誘導を必要とし、それを可能にしているのがレーダーのほか宇宙アセットである。

こうした宇宙依存型のキルチェーンは中国の強みでもあり弱みにもなり得る。このキルチェーンが機能しないように宇宙アセットの利用を阻害すれば、ミサイル攻撃の効果は劇的に減殺される。

では宇宙アセットをどう無力化するのか。衛星を使うのか、地上配備型のミサイルや電波妨害を使うのか。場合によってはサイバー攻撃も組み合わせるのか。様々なオプションと組み合わせがあり得る。

● アメリカの選択肢

更にポストINFの時代においては、米国がアジアに配備を予定している地上発射型の IRBM（中距離弾道ミサイル）の運用も重要な変数となる。宇宙アセットの無力化は衛星 だけが対象ではない。失われた衛星を補うために新たな衛星を打ち上げる能力を担う宇 宙ロケット発射場や、衛星を制御する地上通信基地に対する物理的な攻撃は米国の軍事 コミュニティで有力な選択肢として議論されている。仮に新型IRBMがグアムやフィリ ピンなどに配備されれば、中国の宇宙関連施設を射程に収めることになり、こうしたオ プションを米軍が志向する可能性はある。

▼**図3-38**：グアム配備のIRBMによる中国本土のASAT関連施設に対する攻撃イメージ

（出典　CSBA（米戦略予算評価センター））

いずれにしても、宇宙における技術の進展、宇宙利用の進展はこれまでの技術の効果 を最大化させるイネーブラー（Enabler）となるだけでなく、既存の常識を根本的に覆す ようなインパクトをもたらすゲームチェンジャーになる可能性も秘めている。

● デュアルユースの特徴

同時に他の先端技術と同様に、デュアルユースであるため民間技術や既存技術が宇宙

兵器である側面がある。デュアルユース技術は民間活力によって軍事技術として進化するスピードが桁違いに速いのと同時に技術の入手や拡散が容易だという特徴があり、ひいては戦略的不安定さを招きやすい。

● 宇宙では攻撃側優位

　更に難しいのは、宇宙戦においては圧倒的に攻撃側が優位であるという点だ。宇宙における攻撃は開発や配備、運用に要するコスト面においても、技術面からも圧倒的に防御側に優ることを考えると、宇宙における抑止力は拒否的抑止力よりも懲罰的抑止力、つまり攻撃能力を整備することで相手に攻撃を思いとどまらせることを選ぶ方が合理性に適うことになる。つまり国家は宇宙において防御的手段よりも攻撃的手段への予算集中を行うインセンティブが働きやすいと言え、宇宙における軍拡競争が激化する環境が整っている。言い換えれば、戦略的安定が働きにくい環境とも言えるだろう。

● 変わる日本流の戦い方

　こうした攻撃優位で、軍事技術の進展のテンポが速い宇宙における安全保障は専守防衛を旨とし、防御的手段に頼る日本にとっては最も相性が悪いフィールドであることは間違いないだろう。

　宇宙の軍事技術が更に進展して、実戦配備が進んでいけば、日本が限られた貴重なリソースを防御中心に投資しても、技術の進展と戦略環境の変化にキャッチアップできない、あるいは相手国の能力向上にキャッチアップできず、一向に抑止力が得られないという状況になることも考えられる。

　そうなれば日本は、限られたリソースの費用対効果をどうあげていくか、目的合理性に適う投資とは何か、防御重視一辺倒の投資でいいのか、そうした根本的な問いかけに直面することにもなるかもしれない。

　先端技術の進展と拡散は日本流の戦い方に根本的な変容を迫る問いかけをもたらし、それへの答えを求めようとしつつある。

4

AI（人工知能）の
軍事応用

▌天才が敗れた日、中国が目覚めた

2019年11月19日、韓国で、あるトップ棋士がひっそりと引退を決めた。

その棋士とは、イ・セドル九段、36歳。

かつてグーグル社傘下のディープマインド（DeepMind）社が開発した囲碁専用のAIソフト、「アルファ碁」（AlphaGO）と対局した。

イ棋士は、1勝4敗とAIに負け越し（2016年3月15日）。

一方、AIが人間トップ棋士を破った出来事に最も衝撃を受けた中国はその後、国家を挙げてAI開発にまい進していくことになる。

引退の理由をイ氏はこう語る。「AIの登場で、死に物狂いで第一人者になっても最高ではないことがわかった。AIという絶対に越えられない壁の前で虚無と挫折を感じた」。

天才棋士にこう言わしめたAI。その発展は今後、あらゆる産業分野、そして人間の生活に革命的な変化をもたらすことが予想されている。

● AIを制する者が将来の戦争を制する

軍事の分野においてもAIは戦争のあり方や戦い方を大きく変革させるポテンシャルを秘めている。「AIを制する者が将来の戦場を制することになる」〔シャナハン国防長官（当時）〕と危機感を強める米国。

その背景には、質・量の両面で軍事力を増強させる中国がある。米軍は、中国との戦いではAIの活用が勝敗を左右すると見ており、AIの軍事応用を急ピッチで進めようとしている。

● 米軍の取り組み

米軍は、AIの活用法を研究する国防総省のJAIC（統合人工知能センター）＊を2018年に設立。2019年末時点で60人体制となり、2020会計年度の予算案において前年の3倍にあたる2億7千万ドル、およそ290億円を議会に要求している。

JAICトップとして国防総省へのAI導入の旗振り役を務めているシャナハン中将＊は「世間で喧伝されているような技術的飛躍はない」と、今すぐにAIが革命的に何かを変

＊ JAIC：Joint Artificial Intelligence Center、統合人工知能センター

＊シャナハン中将：Lt Gen Jack Shanahan

えるわけではないと諫める。当面はAIを既存の武器体系と組み合わせながら、インテリジェンス分析や意思決定の迅速化、ロジスティクスへの応用を進めたうえで、2023年以降をメドに兵器への応用を急加速させていくという。

　「正直、AIを理解できる人材も省内には足りない。民間の半分の給料で専門知識を持つ人材を集めなければいけない。AIに対する省内の理解もまだまだ足りない」と言い、取り組みは始まったばかりだと、メディア向けのブリーフィングで率直に語ってくれた。

　「とにかくスピードが重要だ。組織文化を民間のスピードに合わせなければいけない。特殊部隊の現場は『6割の完成度でもいいからAI兵器を早く届けて欲しい』と求めてきている」

米軍を急がせるのは、猛烈な勢いでAIの研究開発を進めている中国の取り組みだ。

　「中国は軍民の力を合わせてAI兵器の実用化を進めつつある。我々も民間企業と大学、研究機関の協力を得ながら、中国のスピードに追いついていきたい」

中国の研究開発のスピードは政府による丸抱えとも言える支援に加えて、政府が収集した膨大な個人情報といったビッグデータを活用できることで、更に加速されている。
　AI開発で米国は先行しているとされる中、プライバシー保護という制約を受けない中国は、法的、倫理的制約を受ける米国に追いつこうとしている。

▎2つのAI
　AIの定義は曖昧だ。現状AIの議論は「特定AI」（Narrow AI）と「一般AI」（General AI、汎用型とも言う）の2つに大別される。

● 一般AI
　一般AIとは、人間の知能に匹敵するAIを指す。一般AIが兵器化された場合、人間の判断を介在することなく、AIが自律的に判断して戦闘行動をすることも究極的には可能

となるのではと言われている。まさに映画『ターミネーター』に登場してくるスカイネットやターミネーターの世界だ。

　ただ、現状では一般AIは実在せず、その実現のメドも立っていない「SFの域を出ないもの」とされている。あくまで理論上、「そうなるかもしれない」という議論があたかも、「今すぐ実現しそうだ」という議論と混在しているから注意が必要だ。

● 特定AI

　一方、特定AIは文字通り、特定の決められた作業を人間の指示や設定に従って自動的かつ高速に実行するもので、人間の作業を効率化してくれる「人間補助」型のAIだ。話題の自動運転技術や将棋、碁、そして画像認識、音声認識といった1つの機能を人間が定めたプログラムに従って行う。前述の碁の名人を破ったAlphaGOもこの典型だ。

　今、話題になっているAIの実用例の大半がこの特定AIによる作業の効率化や情報の整理整頓を指していると言っていい。機能を考えれば「人工の知能」というよりもむしろ「自動化作業ソフト」と表現するほうが正確かもしれない。

　米軍が考えている応用例も、大量のデータを自動的に分析させたり、情報を一元的に処理して表示することで状況認識を助けたり、サイバー防衛でスピーディーに対応するものだったりする。

● AIの実用化はまだ先

　一般の人がAIと聞いて想像するのは2つのAIのうちの一般AI、つまりターミネーターのように人間の指示や命令から離れて自分で考えて学習して、更に進化するような自律的なAIロボットだろう。まさに「人工の知能」とも呼べるものだ。

　だが、現実にはターミネーターやスカイネットの実現はまだまだ先だとされる。「戦場におけるシンギュラリティ*は早くても30年先だ」という説もあるくらいだ。米軍も自律的なAI兵器の開発は現時点では目指していない（将来はわからないが）。

　AIは実態以上に期待感や恐怖感を持たれていると研究者も指摘する。デューク大学で人間とロボットの協働のあり方を研究しているメアリー・カミングス博士は2019年10月の米海軍兵学校におけるAIのセミナーにおいて「AIといっても自動運転すらもまだ実用化のメドが立っていないのが現状だ。メドも立っていないことを研究資金目当てに

＊シンギュラリティ：技術的特異点（Technological Singularity）とは、人工知能が人間の知能を超えて社会変革が起こり、後戻りできなくなる時点

研究者が誇大宣伝している」と指摘した上で「数年の内に世間もAIが今のところ万能で
もないことに気づくだろう」と言う。

図4-1にあるガートナーのハイプ・サイクルは、時間の経過と人々の新技術への期待
感の関係を表したものだ。カミングス博士は「これまでに急激に上がってきたAIに対す
る期待感は今後数年のうちに急低下して谷底となった後に、ようやく実態に見合った現
実的な応用の議論が始まるだろう」と指摘する。根拠のないAI万能論でもなくAI恐怖
論でもなく、冷静な議論をということなのだろう。

▼図4-1：「日本におけるテクノロジのハイプ・サイクル：2019年」

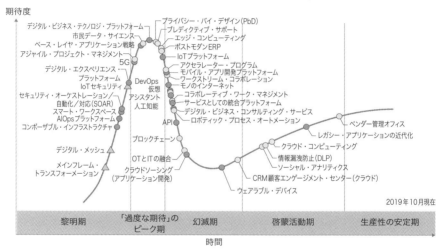

（出典：ガートナー ジャパン株式会社）

他方で、AIが人間の生活のみならず経済活動や産業構造、そして軍事的優位、ひいて
は戦略的なパワーバランスすら変える可能性を秘めていると認識されているのも事実で
ある。

もちろん、まだ実現可能性のメドが立っていない遠い将来の能力であっても、（理論上）
実用化となった際の戦略的インパクトが大きいものについては、その戦略的インパクト
や示唆するものを慎重に議論しておくことは頭の体操として意味がある。そうした前提
で本書は議論を進めたい。

AIとは、すなわちデータ

　良質なデータを大量に投入して学習を繰り返すことでAIの予測パフォーマンスはより精緻になり、AIは賢くなっていく。AIを取材する中で文系の筆者がなかなか理解できなかったのは、データの重要性の議論だった。

　「AIそのものは秘密でも何でもない。公開されているオープンソースだ。重要なのはAIに消化させるデータだ。そのデータを利用できるようにし、敵から保護しなければいけない」と前述のJAICで国防総省のAI政策を統べるシャナハン中将は強調する。

　「確かに中国は軍民融合でAI開発を進めているが、だからといって米国のAIよりも優れているというわけではない。AIの性能を分けるのは良質なデータをどう使うか、にかかっているからだ」と、AI開発のカギはデータだと指摘する。

　AIを生かすも殺すもデータ次第。AIに「食わせる」データは多ければ多いほど、種類が多様であればあるほど良い。データの種類も古いものから直近のもの、そしてリアルタイムの「今」のものまで、あればあるほどいい。逆に同質なデータがいくらあっても解析の精度を上げることにはつながらない。

● AIを身近な例で考える

　どういうことか。具体例で考えてみよう。AIに、あなたのお父さんの好物が何かを予測してもらうとしよう。最近会っていないうえに、プレゼントをすることを知られたくないため本人にも訊ねるわけにはいかない。

　正確な予測結果を導き出すにはお父さんの味覚や食の行動に関係する、あらゆるデータが必要となる。データの量や種類が多ければ多いほど結果は正確なものになる。

　まず、お父さんの年齢や生まれ育った地域などから、バクッとした一般的傾向が抽出できる。70歳以上のシニアであれば一般論として甘いものや脂っこいものは苦手だとして排除していいかもしれない。生まれ育った地域も濃い口かどうか、薄味志向か、味覚の好みを知る上で有用なデータとなる。

● 静的データ

過去のネットショッピングの履歴データの分析も人間の好みをより直接的に把握できる情報だ。買い物の履歴はショッピングサイトのアカウントにも企業のデータベースにも蓄積されている。

当然、スマホやPCで何を検索したか、何を閲覧したかの検索履歴、閲覧履歴も好みのありかを探るデータとなる。もしかしたらあなたのことを最もわかっているのは配偶者でもなく恋人でもなくグーグルかもしれない。

貴重なデータは、サイバー空間だけでなくリアル空間にもある。普段の献立メニューや外食先でのレシート情報を分析すれば、好みのパターンがかなりの確度で抽出できるだろう。これに季節性や時間帯などの情報を加味すれば、どのようなタイミングや状況で、どのようなものを好むか、かなり絞り込めてくるだろう。

● 動的データ

だが、これらはあくまで過去における静的なデータだ。より動的な現在進行形のデータがあれば、今この瞬間、あるいは近い未来において何を好んで食べたいと思うか、という分析を精緻化できる。

例えば、リアルタイムのバイタルに関わる情報だ。脈拍や発汗量、血圧、血中濃度、腸内環境、消化器の状況などの健康データは食欲や食行動に大きな影響を与える。

現在の行動がリアルタイムでわかれば、過去の行動データとつき合わせて、その先の行動の予測性を高めることができるかもしれない。街を歩いている時も、何を見ているかの眼球の動き、どこを歩いているか、どのような店やレストランに関心を示しているか、などはより直接的に当人の欲求を把握するのに役立つ。ここまでデータを活用できれば、AIはかなりの確度の分析結果を出せるだろう。

● 学習に必要なのはビッグデータ

ただ、特定AIにはあらかじめ、お父さんと同年代、同じ出身地など属性が共通する人たちの好物を事前学習させたうえで、お父さんの嗜好を認識させてお父さんの好物を特定していく。同年代や同じ出身地などの人たちの好物データと一致するものがあれば、その食べ物が好物だと分析してくれるが、お父さんの好みがあまりにも特異で、過去の

事例から推測ができないような珍味だった場合、AIは対応できない。

　この好物当て分析の例を見ても、AIを生かすも殺すもデータ次第、というのがわかる。大量のデータ、つまりビッグデータである。

　AIは、ビッグデータと組み合わさって実装化が可能なレベルにまで精度が上がっていく。だからこそAIをチューンアップしてくれるビッグデータは守るべきアセットだということになる。

　お父さんの好物といった、分析の対象が加齢に伴って（経年によって）変化する可能性がある場合、ビッグデータは過去のものだけでなく、直近のもの、そしてリアルタイムのものであるのが望ましい。

　そのビッグデータをもたらしてくれるのは、張り巡らせたセンサー網である。多様な情報を取得するセンサーをネットワーク化し、情報共有するシステムを運用できること。これがAI開発あるいはAI活用の大前提となる。

　そして、センサーが収集した大量のデータを瞬時かつリアルタイムに伝送、共有できる大容量の通信網、つまり今話題の5Gの登場となる。

■中国の「スプートニクモーメント」

● 2016年春、AIが「世界最強」に勝利

　冒頭に触れたように、グーグル社傘下のディープマインド社が開発した囲碁AIのAlphaGoと世界覇者だった韓国のプロ棋士、イ・セドル九段が対戦した。5番勝負のうち、イ九段はわずか1勝。対するAlphaGoが4勝を収め、世界に衝撃が走った。

　『Wired』誌によれば、ソウルで行われた対戦を世界が見つめていた。

　中国では、テレビ中継された対戦を2億人が観戦した。

　米国ワシントンでも「ホワイトハウス横のアイゼンハワー行政府ビルの4階で同僚たちが技術の勝利に歓声を挙げていた」。

　当時、オバマ政権の科学技術政策アドバイザーだったテラ・ライオンズ氏は振り返る。「だが次の日には、ホワイトハウスのスタッフでそれを憶えている人は誰もいなかった」。

そして翌年5月。AIが今度は「大帝」を下した。

中国トップの囲碁棋士である柯潔（か・けつ）九段との対局でAlphaGoは3局全勝の圧倒的強さを見せた。「世界最強棋士」とも「大帝」とも言われた柯潔九段は涙した。

この出来事に強く反応したのが、中国だった。

グーグル中国でAI開発を進めてきた李開復（Kai-Fu Lee）の著書『AI Superpowers』（2018年）によれば、AlphaGoによる2つの勝利は、中国にとってAI開発に目覚める「スプートニクモーメント」だったという。

これを目の当たりにした中国はこれ以降、AIの活用をより明確に国家戦略として位置づけてAI開発に国を挙げて取り組んでいくことになる。

● 「次世代AI発展計画」発表

対戦の2カ月後には、中国国務院が「次世代AI発展計画」を発表。AIの活用によって国家の技術革新を高めて、2030年までに世界のイノベーションの中心地になることを掲げた。事実上、この計画はAI開発で先行する米国を国を挙げて追い上げていく出発点だと言えた。

この「次世代AI発展計画」には、AIを国家防衛の強化にも活用することが明記されている。中国では、政府主導での官民協力体制を組む「軍民融合のアプローチ」で、AIの軍事応用においても取り組みが強化されていくことになる。

中国によるAIの軍事応用

● 開発競争の舞台は無人ビークルとスワーム

現在、米中が開発競争を繰り広げているのが、AIによる無人ビークルの自動化と、スワーム技術だ。

無人ビークルの自動化は、人間が遠隔からコントロールしていたものを人間のコントロールなしでもあらかじめ設定したプログラムに従って自動で特定のミッションを遂行できるようにすること、加えて大量の無人機がスワーム（群れ）と呼ばれる編隊を作りな

がら任務をこなしていくことが目指されている。

　人間の統制や判断を介さず自動的、自律的に動作することで、人間の認識スピードより圧倒的に早く敵を識別して攻撃が可能となることが期待されている。

　コスト面のメリットも自動化の流れを後押しする。人間の最終判断を前提とする無人機では、指揮官の命令を受信するための長距離通信装置が必須となるだけでなく、それへの敵による妨害電波に対抗する電子装置などが必須となり、無人機が大型かつ高価となってしまう。

　逆にそれらを必要としない無人機は安価となり、その分、大量に装備、投入が可能になる。そして大量の無人機は敵の防御能力を数で圧倒できる戦術上の利点も有する。

　こうしたスワームによる運用はAIがなければ実現は不可能であり、今後AIは無人ビークルの高度化を促す推進力の役割を果たしていくと見られている。

　この取り組みを中国は最優先課題の1つとして進めており、米国とAI無人機開発レースを展開している。

● 無人攻撃機の例

　その代表的な開発例が、CH-5無人攻撃機だ。

▼**図4-2**：CH-5無人攻撃機

（出典　Xinhua Net（新華網））

外観は、米軍の無人攻撃機MQ-9「リーパー」と酷似している。ジェーン（Jane's）によれば250キロの行動半径は衛星通信によるリンクによって最大2000キロまで伸びるという。巡航高度3万フィートで最大60時間の飛行が可能とされている。

最大の特徴は自動化技術が導入されていることで、あらかじめプログラムされた通過点（WayPoint）に従って自動飛行でき、離着陸や地上タキシング（滑走）は完全自動化されている。

AIによる自動化技術は、まだ初期段階ではあるものの、確実に第一段階を踏み出していると言える。

● 無人艇の例

中国は更に、「海の無人機」とも呼べるUSV*（無人艇、無人航走体）の開発にも着手している。

構想段階ながら発表されているのが、多用途無人艇D3000だ（**図4-3**）。全長30メートルで最大航続距離540海里、90日間の運用、最大速度は時速40ノットを誇るとされている。衛星通信リンクを利用して水平線以遠の行動も可能とされ、単独での自動運用と、既存の水上艦と連携しての運用の両方が想定されている。

▼**図4-3**：D3000

（出典　Popular Science（https://www.popsci.com/））

---

* USV：Unmanned Surface Vehicle、無人航走体

任務に応じてモジュール化された武装を組み合わせるのがコンセプトで、近接防御用の30ミリ機関砲と対艦ミサイル4発のセットか、対潜水艦戦セットとして8発の短魚雷と4発の魚雷を搭載することができる。

　このUSVの目的が、米海軍の潜水艦を探知、攻撃するための対潜水艦戦（ASW＊）能力の強化にあることが窺える。
　潜水艦による水中での優位は米軍が独占的な地位を占めている一方で、それに対抗できない貧弱なASW能力は長年の中国軍の課題だ。

　対中国の作戦で米軍は、緒戦での後退を強いられることを想定する一方で、反撃フェーズでは攻撃型原子力潜水艦（SSN＊）および巡航ミサイル搭載型原子力潜水艦（SSGN＊）に、攻守転換のきっかけを実現する尖兵としての役割を期待している。
　米軍から見れば、中国海軍に探知されにくい生存性やステルス性にすぐれる潜水艦は、切り札の1つであり、水中での優位性によって対中パワーバランスを維持する、つまりパワーバランスが中国優位に傾かないようにする戦略的な意義も持っている。

　そこに中国がAI無人ビークルの活用によって風穴を開けようとしていることは、中国の視点から見れば目的合理性に適った取り組みであり、米国の側から見れば作戦レベルだけでなく戦略レベルでのインパクトにつながる可能性を秘める、見逃すことができない動きだと言える。

■「スワーム」と呼ばれる無人機の群れ

　中国は、水中だけでなく空でも、米軍に対抗できる技術の獲得を急いでいる。大量の無人機の群れである「スワーム」技術の実用化だ。

　その開発スピードには、眼を見張るものがある。2016年10月に米空軍が達成した103機の無人機飛行実験記録を、その8ヵ月後の2017年6月に119機の小型ドローンの編隊飛行を成功させて塗り替えた。

＊ASW：Anti-submarine warfare、対潜戦
＊SSN：Attack Submarine (Nuclear Powered)、攻撃型原子力潜水艦
＊SSGN：Guided Missile Submarine, Nuclear Powered、巡航ミサイル搭載型原子力潜水艦

▼図4-4：119機のドローンの群れによる飛行実験

(出典　CCTV（中国中央電視台）)

そして、そのわずか半年後には1000機（！）の小型ドローンの編隊飛行実験を成功させている。

● AI実装ドローン同士で通信

スワーム技術は、人間のコントロールを介在させずにドローン同士が交信しながら、それぞれ異なる役割を果たすことを可能とするものだ。それを可能とするのがAIである。

スワームという編隊の中では、偵察を行うドローンもあれば、武器を装備する攻撃用のドローンもある。敵の攻撃を誘う、おとり役のドローンもいる。敵の攻撃をうまく誘えれば、敵の位置を把握、攻撃することが可能となる。それらが有機的に無駄なく機能するにはAIが不可欠となる。

無人機によるスワーム技術は今後、戦争のやり方を変える可能性が指摘されている。具体的には高コストで少数しか調達できないハイテク兵器ではなく、低コストで大量調達できる無人ビークルをAIと組み合わせた戦い方が台頭してくるかもしれない。

● スワームで戦い方が変わる？

大量のUAV＊（無人航空機）のスワーム攻撃にさらされれば、高度な防空能力を誇るハイテクのイージス艦も対処が不可能となる可能性がある。100単位の大量かつ小型の目標を探知、攻撃することは困難なだけでなく、仮に可能であっても費用対効果から全く見合わない。

＊UAV：Unmanned Aerial Vehicle、無人航空機

せいぜい1機あたり数百万円から数千万円しかしない小型UAVを、1発10億円前後するSM-2対空ミサイルで撃ち落すことは、コスト面で言えば最悪の戦い方だ。そもそも対空ミサイルは100発も搭載されていない。

　AIがコントロールする簡易かつ安価なUAVの群れを前に、虎の子のハイテク兵器が無力化されていく——。そんな未来を予感させる出来事はすでに起きている。

● すでに起きているスワーム事象

　2017年12月末から2018年初頭にかけて、シリアにあるロシア軍基地がドローンの群れによる攻撃を受けた。3回にわたる攻撃には手製のドローン（**図4-5**）が使用されたと言われている。シリアの反政府組織によるものだったという。

▼**図4-5**：攻撃に使われたシリア反体制派のドローン

(出典　ロシア国防省)

　合計13機が基地に飛来。小型の爆弾を搭載したドローンがもたらした損害は甚大だった。兵士2人が死亡、10人が負傷したほか、航空機6機に損傷を与えたと、アメリカの「ウォールストリートジャーナル」紙は伝えている。**図4-6**にあるように、駐機中の戦闘機を行動不能にするだけでも、非常に費用対効果の高い攻撃だったと言えよう。ロシア軍によればドローンの群れには「高度な技術」が使われていて、GPS誘導により100キロ以上離れた場所から発進した可能性があるという。

▼図4-6：ドローンによる攻撃で損傷を受けたとされるロシア軍のSu-24 Fencer

（出典　theaviationist.com、2018年1月8日、Photo：Roman Saponkov）

　一方でロシア軍は、主な損害がドローンではなく迫撃砲によるものだとも指摘していて、13機のドローンは、7機が「パーンツィリ」防空システムに撃墜され、残り6機は妨害電波で無効化したのちに強制着陸させた、と主張している。

▼図4-7：ドローンを迎撃したとされる「パーンツィリ」防空システム

（出典　engineeringrussia.wordpress.com）

▌心理戦や諜報活動へのAIの応用

● ① 意思決定の支援

　中国による潜在的なAIの軍事利用例として米国で議論されているのが心理戦や諜報活動へのAIの応用だ。CIAでかつて中国を含む東アジアでの工作活動を統括していたジョセフ・デラニ氏は、①意思決定の支援をまず挙げている。中国海軍はすでに原子力潜水艦の指揮官の意思決定を助けるAIの導入を進めようとしていると指摘する。

● ② 心理戦、サイバー戦への応用

　また、②心理戦、サイバー戦への応用でもAIは威力を発揮する。AIを活用すれば膨大なSNSのデータからターゲットを抽出して、そのターゲットに合ったテーラーメイドされた工作活動ができるという。

　2016年の米国の大統領選挙でも同様の手法は使われ、トランプ大統領誕生に寄与したと言われる。ビッグデータ解析を選挙に応用した英ケンブリッジ・アナリティカ（Cambridge Analytica）社はFacebookの利用者データから、勝敗を左右する激戦州に住む潜在的なトランプ支持者を割り出してカテゴリー化。どのようなメッセージに反応しているかをネット上の動向をモニタリングしながら、有権者が反応するメッセージに随時、修正を加えながら有権者が最も求めているメッセージを伝達し、投票へと誘導したことが知られている。企業が顧客の過去の消費行動に関するデータベースから顧客の潜在的ニーズを予測して個別に販促メールを送ることも、広い意味では同様の試みだ。

　悪意ある使い方をする場合、AIはディープフェイク（Deep Fake）と呼ばれる、一見して真贋の見分けがつきにくい政治広告やメッセージ、動画などを大量に生成かつ一斉送信することも可能だ。

　武力攻撃の開始直前に、相手国の首相が軍や国民に対して降伏するよう求めるテレビ演説をする偽の動画を作り出し、それを一斉に大量送信して相手の戦意を挫いたり、混乱を誘うこともできてしまう。

● スピードと解決策

AIの強みは、人間の能力をはるかに超えるスピードで作業を自動化できる点が1つ。そしてもう1つは、人間の思考では及ばないような課題にも効果的、効率的な解決策を提示できる点がある。これら2つの強みは、未知のサイバー攻撃に対して効果的な防御手段を提示し、自動的に執行することや、最も効果的な攻撃方法を選択し、実行するといった、サイバー戦における攻撃、防御の効果を最大化させることにもなる。

AIによって人間のハッカーの能力を超えるスピードとスケールでサイバー攻撃が行われ、その防御ももはや人間では対応できないためAIが担うことになるかもしれない。そうなればAI同士がサイバー空間で攻防を繰り広げるのを人間たちはモニター越しになすすべもなく眺めるしかない、という状況にまで行き着くこともあるかもしれない。

今後、武力攻撃が行われるとすれば、実際の物理的攻撃に加えて、相手国のネットワークを麻痺させるサイバー攻撃や、AIを使ったディープフェイクによる混乱と相手国の対処能力の麻痺を誘う心理戦などを複合的にミックスした戦いとなる、というのが軍事の世界では常識になりつつある。

● ③　諜報戦の強化

元CIAのデラニ氏は、③AIが諜報戦を強化することにもなるだろう、と指摘する。AIはとても人間の手には負えない大量データから短時間で、特定の目的のための要因抽出に長けているが、これまで人間の分析官が人力で行ってきた労働集約型の分析作業を劇的に効率的に処理することも可能となる。

氏は、このAIの特性を活かして中国の諜報機関による工作活動が飛躍的に効率を上げることを懸念する。そのカギは「データ」だ。

● 史上最悪のハッキング事件

2015年6月、米連邦人事局（OPM*）が保有する米連邦政府職員の人事記録データベースが中国によるハッキングを受けた。

＊ OPM: Office of Personnel Management

米情報機関によれば、中国が2000万人の連邦職員のデータだけでなく、機密情報取り扱い資格を持つ情報機関職員、軍人、国防総省文民職員、軍の研究機関の現職、元職合わせて120万人分の機密人事情報も入手したとされる。米国情報機関史上、最悪のハッキング事件だ。

　中国に潜入させている工作員の情報が漏洩した恐れもあり、CIAは当時、中国本土から多くの要員を急きょ引き揚げざるを得なくなったほか、身分が露見する可能性のある職員を工作活動の現場から内勤に配置転換させるなど、多くの情報要員のキャリアが狂わされたと言われている。

　漏洩した人事記録の中には、情報機関の職員が記入を求められるSF-86と呼ばれる130ページ以上にもわたる身上申告書も含まれており、情報機関職員たちのあらゆる記録が盛り込まれていた。飲酒歴、薬物使用歴、愛人などの異性関係、借金、性癖、過去の犯罪歴、外国人の交友関係など、中国が情報提供者を取りこむ際に使える弱みとなる脅迫材料の宝の山と言っていいものだった。

　デラニ氏は、中国がサイバー攻撃で盗んだOPMの人事記録120万人分の分析は、人力では何十年もかかるところ、AIを使うことでスパイとしてリクルートできる潜在的な候補の洗い出しが迅速に実行できるようになると訴える。そうなれば中国による対米工作活動のレベルが飛躍的に向上することは間違いないだろう。

　この手法は逆に、中国市民の監視に転用することで、防諜にも応用できる。中国政府は大量に入手した市民のあらゆる個人情報をビッグデータとしてプールしており、これらの市民の個人情報をAIで分析して、外国情報機関の協力者になっている恐れのある人物の洗い出しにも利用できる。場合によっては今後、外国の機関に取り込まれる可能性のある要素を満たしている人物を特定して、監視下に置くことも可能となるかもしれない。

▌米軍によるAIの軍事応用

　一方の米軍も、無人ビークルによるスワーム技術の実現に向けて取り組んでいる。

　ただし、西太平洋や東シナ海、南シナ海といった広大な海洋を舞台にスワームによる

攻撃などを実戦投入可能なレベルにするには、まだ技術的課題が残されている。スワームをより遠距離に飛ばし、滞空時間を延長させなければならないからだ。

● DARPAのグレムリン計画

この課題解決に向けた取り組みは急ピッチで進められていて、米国防総省の研究開発機関であるDARPA（米国防高等研究計画局）が進めるグレムリン（Gremlin）計画では、ドローンの飛行距離は300マイルのレベルに達する。ペイロードも20キロ程度と、小型爆弾程度の破壊力を持つレベルに至っている。

グレムリン計画のX-61Aと名付けられたドローンは、2020年1月にC-130輸送機から分離され、初飛行を行っている。輸送機からリリースされたX-61Aは、スワームを組む他のドローンと連携しながら飛行。敵の拠点の近くで電波妨害や敵の捜索監視、攻撃後の戦果評価といった任務のほか、有人機ではリスクが高い敵の防空圏内に1機が囮として侵入して、敵の地対空ミサイルの発射を誘発することで敵ミサイル発射機の位置の把握。残りのドローンが敵ミサイルの発射機にそのまま突入して破壊するというミッションも可能だ。

▼**図4-8-1**：初飛行中のX-61A無人機

(出典　ダイネティクス（Dynetics）社)

任務を終えたX-61Aは、陸上に着陸することもなく、そのままC-130輸送機に空中で（！）回収されることになり、20回のミッションまで再使用が可能だという。

▼**図4-8-2**：グレムリン計画における無人機スワームの運用構想

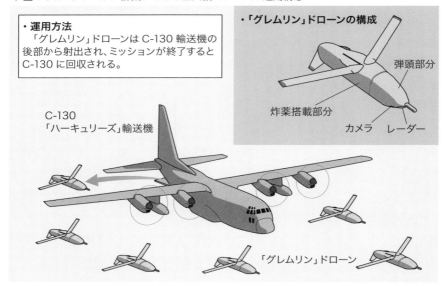

・**運用方法**
　「グレムリン」ドローンはC-130輸送機の後部から射出され、ミッションが終了するとC-130に回収される。

・**「グレムリン」ドローンの構成**
　弾頭部分
　炸薬搭載部分
　カメラ　レーダー

C-130
「ハーキュリーズ」輸送機

「グレムリン」ドローン

（出典　ダイネティクス（Dynetics）社）

　X-61Aで大量にスワーム運用ができるようになれば、母機である輸送機は事実上、空中における航空母艦と同じ機能を果たすことになる。確かにドローンは小型であり、かつ搭載可能な火力は既存の航空機よりは小さいが、複数の輸送機による圧倒的な多数のスワームを投入して敵の対応力を飽和させる戦いを可能とする。

● 米空軍の無人機＋有人機連携計画
　同時に、無人機（ドローン）の大型化と性能向上も実現されつつあり、有人戦闘機に近い性能を誇り、有人戦闘機と共に行動できるレベルのものが開発されつつある。
　それが米空軍の開発中の無人機XQ-58A（**図4-9-1**）で、2019年3月に70分以上の飛行に成功した。米空軍は航空戦闘においてAIを搭載した無人機と、有人の戦闘機や爆撃機の連携を目指していて（**図4-9-2**）、XQ-58Aはそのプロトタイプである。

▼図4-9-1：無人機XQ-58A「ヴァルキリー」（Valkyrie）

（出典　Wikipedia）

▼図4-9-2：有人機F-35Aと無人機XQ-58Aの運用構想のイメージ

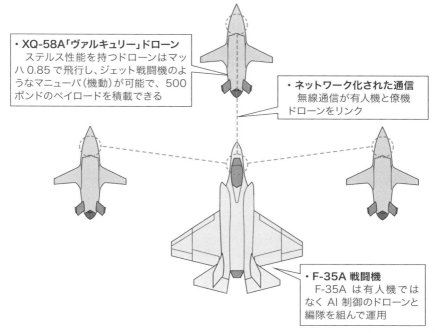

・**XQ-58A「ヴァルキリー」ドローン**
　ステルス性能を持つドローンはマッハ0.85で飛行し、ジェット戦闘機のようなマニューバ（機動）が可能で、500ポンドのペイロードを積載できる

・**ネットワーク化された通信**
　無線通信が有人機と僚機ドローンをリンク

・**F-35A 戦闘機**
　F-35A は有人機ではなく AI 制御のドローンと編隊を組んで運用

（出典　Mail Online）

XQ-58Aは、有人機のコントロールの下、有人機の行動が難しい敵のA2/AD勢力圏内において、攻撃、偵察、電子戦といった危険な任務を有人機の代わりに行ったり、有人機に向かう敵ミサイルを引き受ける弾除け役を果たすことが想定されている。

最大の特徴は無人であるが故、コクピットが不要となり機体の軽量化、コスト低減が図られている点だ。1機当たりのコストは2～3百万ドルと見積もられ、有人機のおよそ50分の1程度に収まっている。

低コストであるにもかかわらず、その行動半径は2500マイル弱と、F-22ステルス戦闘機の1800マイルを上回る一方、速度はF-22の半分以下の亜音速とされる。

● DARPAの無人艇（ACTUV）

無人ビークルには、米海軍も関心を寄せている。DARPAが開発した無人艇（ACTUV*）、通称「シーハンター」である。前述した中国が開発中のD3000は、このACTUVの開発に刺激されて始まったとされている。

▼図4-10：無人艇ACTUV

（出典　DARPA（米国防高等研究計画局））

対潜水艦作戦を単独かつ自動で行うことを実験目的にしたプロトタイプ艦であるACTUVは、他の無人ビークルと同様、低コストという利点が大きい。イージス駆逐艦の1日の運用コストが70万ドルとされるのに対して、ACTUVのそれは1日2万ドルと、圧

＊ACTUV：The Anti-Submarine Warfare (ASW) Continuous Trail Unmanned Vessel

倒的に低いのが特徴だ。

　南シナ海などは、有事の際に中国の勢力圏内となり、米海軍の艦艇であっても容易に入ることが難しくなるだろう。ACTUVはそうした南シナ海などで単独で自律的に潜水艦狩りを進めることで、米軍の人的損失が最小限に抑えられることに期待がかかっている。

● 米海軍のオーバーロード計画

　米海軍は、ACTUVとは別にオーバーロード計画（Project Overlord）という2000トンクラスの大型無人艇（LUSV*）の導入プランを進めていて、2隻の調達予算4億ドルが2020会計年度予算に計上され、今後5年間で合計10隻が調達される予定だ。

　大型無人艇（LUSV）の全容は明らかになっていないが、乗員なし、メンテナンスなしで90日間、単独行動できる戦闘艦艇とされている。

　予算措置や開発と並行して、すでに米海軍では欧州艦隊司令部と太平洋艦隊司令部がそれぞれ開発担当部隊に対して、LUSVと既存の有人艦艇、具体的にはイージス艦や空母打撃群との共同行動のコンセプト策定を指示しているなど、無人艦隊と有人艦隊の共同行動に向けた動きが具体化しつつある。

● AIによる情報分析「プロジェクトメイブン」

　米軍は、AIを既存の兵器体系に組み込む実験を目的に、2017年4月に「プロジェクトメイブン」（Project Maven）を始動。無人偵察機が収集した動画をAIに解析させて、過激派組織イスラム国による敵対行動の兆候を捕捉することに活用したとされる。

　ISR*と呼ばれる情報収集、監視、偵察活動へのAIの応用は、収集した動画情報の分析の効率化につながる。米軍の無人偵察機は年間で37年間分の動画を撮影すると言われており、これらの動画をすべて人間の眼でチェックして特異動向を検知することは不可能だからだ。

　このほかにも米議会調査局の報告書によれば、CIA（米中央情報局）がAIを活用した140のプロジェクトを実施中で、その範囲は画像認識、予測、多言語認識、3Dマッピングなどに及んでいる。

＊LUSV：Large Unmanned Surface Vessels、大型無人艇
＊ISR：Intelligence, Surveillance and Reconnaissance、情報・監視・偵察

● 故障予測

　軍のロジスティクスの現場にもAIは応用され始めている。AIを使って実際に戦闘機が故障する前に、将来の故障箇所を予測することが目指されている。故障箇所を予測することで、必要な部品などをあらかじめ調達しておくことができるほか、画一的な保守スケジュールではなく、機体ごとの保守スケジュールを確立して作業効率を上げることを目指している。

　同様の発想はF-35ステルス戦闘機の保守システムであるALIS＊にも応用されている。機体やエンジンに付けられたセンサーがリアルタイムで機体の状態に関する情報を送り、点検が必要な箇所を指示するとされている。

┃サイバー戦へのAIの応用

　AIがその能力を最も発揮できる分野の1つが、サイバー戦だ。サイバー戦における攻撃、防御はどちらもスピード化が著しく、人間の対処能力を超えつつあると言われる。「人間だけに頼っていては負ける」(2016年上院軍事委員会におけるロジャース・サイバー軍司令官)としてサイバー戦へのAI導入が模索されているのだ。

　ソフトウェアにバグはつきものだが、修正ソフトが出されるまでの間、バグは放置されて悪意ある攻撃や利用に対して脆弱なままとなる。バグは平均で312日間、発見されるまでかかるという説もあり、その間に悪意あるハッカーがバグを悪用することを許すことになってしまう。中にはGHOST、HeartBleed、POODLEといったバグが10年近くにもわたって放置されていた例もあるくらいだ。

● 民間の英知を活用したバグ対策

　サイバー空間ではすでに、バグが人間の眼や手だけでは発見、対処しきれないレベルに達しつつある中、米軍が助けの手を求めたのは組織の外、民間の英知だった。

　2016年8月に国防総省傘下の研究機関DARPAは、サイバー防衛コンテスト「Cyber Grand Challenge」を開催。これは国防総省に対して、サイバー攻撃に自動的に対処でき

＊ ALIS：Autonomic Logistics Information System

るAIシステムを導入することを目的に、民間のチームが人間の手を介さずAIが自動的にサイバー攻撃を封じるシステムの優劣を競うというコンテストだ。

コンテストはラスベガスのホテルで10時間にわたって行われ、優勝したカーネギー・メロン大学のAI「Mayhem」のチームには賞金200万ドルが贈られた。

▼**図4-11**：「Cyber Grand Challenge」の様子

（出典　DARPA（米国防高等研究計画局））

● 公開情報の分析による予測

もう取り組みが始まっているもう1つの応用例が、公開情報の分析による予測だ。

ハワイのホノルル所在の米インド太平洋軍では、ツィッターなどのSNS情報をはじめ、2000以上の情報源がもたらす公開情報をAIで解析することで、担当する地域内で起きていることの把握をしているという。マイクロソフト社やグーグル社、アマゾン社が提供するクラウドサービスを利用することで大量のビッグデータの保存が可能になったことが、背景にあるという。

同じくハワイにある米インド太平洋空軍司令部では過去の航空機のトラフィックのデータと、今現在のトラフィックを比較分析することで、過去とは異なる「特徴点」、つまり敵対行為の前兆や異常行動を浮かび上がらせようとしている。

「過去6ヶ月、あるいは1年間のデータがあれば、かなりの程度、通常のパターンというものが特定できる」。米インド太平洋空軍の指揮・統制・通信の統合C3 Integration担

当の中佐が軍事サイトDefense One主催のシンポジウムで語った。「そこと比べて、これまで通常だったルートから逸脱した飛行をとっているのはなぜか？　何の準備をしているのか？」といった疑問点を持つことができるようになるという。

　同時にAIによって敵の弱点を特定することもできるという。敵のレーダーの死角はどこか、敵のシステムに侵入可能なアクセスポイントはどこか。敵すらも気づいていない、ビッグデータが示す敵の脆弱性をAIで探っている。

● 人間とAIの協働

　最終的に米空軍が目指すのは、「Human-Machine Collaboration」と呼ばれる、人間と機械つまりAIの協働だ。

　各種のセンサーが集めた情報をAIが一元化して処理、表示しながら、同時に過去のパターンやリアルタイムの状況などを踏まえて、次にとるべきオプションを提示する。

　超音速で迫ってくるミサイルなどへの対処には分単位、秒単位での判断と対応が求められるため、収集した情報の整理と表示、そして過去の実績や経緯を踏まえた対処案の提案までを人間に代わってAIがやってくれれば、指揮官である人間は死活的かつ高度な判断だけに意識を集中できるというわけだ。

▐「説明できないAI」と組織文化

　しかし、その一方で、AI研究者の間でも、まだ克服すべき技術的課題は多く、一般AIの実現やAIの知能が人間のそれと肩を並べるのは50年近くも先、という意見が根強い。

　カジャ・グレース（Katja Grace）氏とジョン・サルバティール（John Salvatier）氏による調査によると、AIが2049年までにベストセラーを書けるような能力を持てるようになっていると答えたAI研究者は、調査に回答した352人のうち50％しかいなかったという。そのうえで75％のAI研究者がそのような能力をAIが獲得するのは2090年まで待たなければならない、としている。

　AIが持つ技術的課題の中でも導入を阻む大きな壁が、AIの説明力の欠如だ。

米議会調査局がまとめたレポート「人工知能と国家安全保障」（Artificial Intelligence and National Security）は、AIが抱える問題は結果に至るプロセスを説明できないことにあると指摘する。現状、なぜその結論にAIは至ったのか、その思考プロセスはブラックボックスの中にあることから、人間がAIをどこまで信頼できるか、という問題が残っているという。

あなた自身が経営者か部隊指揮官だと、想像してみて欲しい。

なぜその結果に至ったのか、その理由や思考プロセスを説明できないAIの選択肢をそのまま、あなたは信頼、採用できるだろうか？　いくら一見、優れて見える提案であっても、それに至った理由や思考プロセスで重視した要素、軽視した要素、無視した要素、どのような価値や考えが思考の背景にあるのか、それを一切説明できないAIにあなたは会社の運命や部下の命を委ねることができるだろうか？

株主総会で経営判断の理由を問われた時、「AIがそう言ったから」では到底、経営者としての説明責任を果たしたことにはならないだろう。

米軍もこの点を問題視しており、国防総省傘下の研究機関DARPAが5年計画で「説明できるAI」を開発中だと言われているほか、世界中でも盛んに研究開発が行われている。

新技術や新兵器の導入にあたっては組織のリーダー層がどこまでそれらの性能や効用を理解できるか、ひいては信頼できるかがカギを握る。AIがどのレベルまで根拠を「説明できる」ようになれば、人や組織はAIを信頼できるようになるのだろうか。

● 受け入れる側の意識

AIを受け入れる側の意識と体制もAI導入の成否を左右する。軍事組織や官僚機構、大企業といった確立された組織であればあるほど、新たにAIを使いこなすためには組織文化の変革や、AI導入によって不利益を被る職種の理解は避けられない。

一般的に無人機の効用を理解している米軍であっても組織内の抵抗がある。実際、米空軍には有人機のパイロット不要論につながりかねない急速な無人機化には進もうとしていないカルチャーがまだ残っている。米空軍ではいまだにパイロットが手当てや昇任などの待遇面で優遇されている一方、無人機のオペレーターはパイロットとしては認められておらず、手当てや昇任の面でも不利とされている。

米軍と人民解放軍というどちらも巨大な官僚組織が、いかに戦略競争に勝つ、という目的合理性に徹して組織文化も変えながら新技術を受容していけるのか、しかもどの程度のスピード感でそれを実行できるのか、という点がAIだけでなくそのほかの先端技術の導入にあたって問われることになる。

だが、好むと好まざるとに関係なく、特定AIの高度化と軍事応用の流れは止められないだろう。確かにAIという新技術がどこまで具体的に戦争のあり方や戦い方を変革していくのかを見通すことは難しいし、克服すべき技術的課題はまだまだある。今すぐAIが何かを革命的に変えてくれるわけではない、という指摘ももっともである。

しかし、重要なことは、実際がどうであれ、AIが将来の戦いでの勝敗のカギを握ることになるだろうと米中どちらもそう信じている点にある。実際にそうなるか、そうならないのかが重要ではない。ビッグプレイヤーたちがそう信じて動き出していることが注目すべきことだ。

「先進技術、すなわちAIや極超音速、ビッグデータ解析、ロボット、自動制御技術、レーザーなどが将来の戦争において米国の勝利を保障する」

米国防戦略「NDS2018」の公開版の要約も、こう明確に謳っているほか、ハーバード大学ベルファー研究所が2017年7月に出したレポート「AIと安全保障」はもはや軍事力の優劣は国土面積、人口、経済規模とは無関係になるかもしれない、とも指摘している。

AIとロボットの活用に成功すれば、少子高齢化が進む国や人口が少ない小国であっても軍事上の優位性を獲得できるかもしれない。同レポートによれば、そこまでのインパクトが考えられるという。

AIをいかに応用できるかが国力を決めるような未来。そこにはどのようなリスクがあるのだろうか。まだまだ先の、予見不可能な未来の話を想定した仮定になるものの、あえてAIが高度に兵器化される未来を想像してみたい。

AI兵器のアキレス腱①　データの汚染

AI兵器に依存する戦いがもし将来訪れたら、どのようなリスクに直面するのだろうか。AIを生かすも殺すもデータ次第である以上、最大のリスクはデータにある。

AIはデータ駆動（Data-Driven）とも言われ、データによって学習して更に「賢く」なることでアウトプットの精度を上げていく。

ところで、AIが出す学習結果は、適切なデータがあれば想定した学習結果が期待できるが、汚染されたデータを学習させられた場合は期待される結果を得ることはできなくなる。

一時停止の交通標識に黒いテープを貼り付けるだけでAIは速度制限の交通標識だと誤認してしまうという例はあまりにも有名だ。膨大な交通標識を読み取って学習する過程で、標識にテープを貼り付けるという、些細な操作を加えるだけで、データは「汚染」されてしまい、あまりにも容易にAIの学習結果が劣化しまうのである。前述のとおり特定AIはなぜその結論に至ったかを説明できないため、入力したデータのどこが汚染されているのかを発見、特定することも難しいかもしれない。

● 敵対的生成ネットワーク（GANs）

2019年4月25日、米中経済安全保障委員会に提出した資料の中で、中国の宇宙政策を研究しているJonathan Ray氏は、すでに中国が「敵対的生成ネットワーク」（GANs：Generative Adversarial Networks）と呼ばれるAIの応用によって、AIやソフトウェアに架空のピクセルや画像を認識させて誤認させる手法を開発していると指摘する。

これが実用化されれば、AIを使った衛星画像の分析プロセスに架空のデータを潜り込ませることで、衛星画像分析の精度を棄損し、扱う人間の側にAIに対する疑念を抱かせる効果を持つ。

汚染データを送り込まれることで、AIが間違った予測や判断をしてしまうリスクについて、AI搭載の防空戦闘指揮システムに置き換えて考えてみよう。

　レーダーや無線、公開情報などあらゆる情報のインプットを受けてAIは接近する物体が敵なのか、味方なのかを識別するとしよう。サイバー攻撃や電磁パルス（EMP：Electro Magnetic Pulse）攻撃などによって汚染されたデータをAIに仕込まれた時に、接近する敵ミサイルを民間機と誤認させられたり、誤った目標を攻撃する指示を出したり、味方を誤った方向に誘導するといったことも起こるかもしれない。

　また、状況認識や判断プロセスを過度にAIに依存していれば、戦術レベルだけでなく戦略レベルにおける致命的なミスにつながる恐れすらある。AIによる誤った判断で不必要な戦争を起こしたり、核戦争の引き金を引くといったことも決して絵空事ではない。

▎AI兵器のアキレス腱②　パラメーターの漏洩

　AIのもう1つのアキレス腱は、こちらのパラメーターが相手に知られることで相手にこちらの裏をかく手段を与えることにある。データでこちらの想定が敵にわかってしまうリスクだ。

　AIの機械学習では、パラメータと呼ばれる変数を設定することで予測モデルが作られている。

　例えば、中国海軍の東海艦隊の即応体制を予測するAIであるとしよう。東海艦隊が今すぐにも出動可能な状態にあるかどうか、あるとすればどの程度なのか、という予測結果を得るには、それに関連するデータを入力する必要がある。

　まずは漠然とした情報、つまり港に停泊している艦船の数、ドック入りしている艦船の数から始まり、ドック入りしている艦船の修理の進捗具合、船の外観状況を衛星写真で定点観測して、時間の経過から変化を読み取る――。こういったことは最も基本的な分析要素（変数）となる。

　このほかに東海艦隊が必要とする食料や燃料、物資などを供給している民間業者の売り上げや工場の稼働状況、生産活動量、輸送データなどのビッグデータも重要な変数だ。SNS上に水兵たちが掲載する写真データや書き込みなどからも、艦隊の行動パターンの

変化やその予兆をつかみとることができるかもしれない。

　こうした複数のパラメーターが複雑に設定され、そこに今の動きというデータを学習させることで、東海艦隊の即応体制という予測結果が出てくる。

　そこで肝となるのは、大量の情報のうち、どのような情報が予測結果を導き出すうえで有意な情報として扱われたか、つまりどのようなパラメーターが設定されているか、という情報である。その情報が敵に漏れれば、こちらが何を予測しようとしているのか、何に備えようとしているのかが露見してしまうことになる。つまり、こちらの想定が敵に知られてしまうのである。

　そうなると、敵はAIが設定しているパラメーター以外の方法で、つまり、相手の想定外の攻撃をすることで裏をかくことができる。AIは設定されたパラメーターに従う処理は高速かつ効率的に行えるが、設定外のこと、つまり想定外のことには対応できない。

　人間による設定がなくても自律的に学習できる一般AIなら別かもしれないが、特定AIではパラメーターとしてあらかじめ設定されていない、まったくの未知の新兵器や動きが投入された場合、それに対してどこまで対応できるかはわからない不安が残ってしまうのである。

● 「想定外」の危うさ

　海上自衛隊も装備しているイージス戦闘システムは人間の手を介入させないで防空を行うAuto Specialというモードがあり、これはある種の限定的な特定AIとも言える。

　仮にこのイージス戦闘システムが将来、航空機や巡航ミサイル、弾道ミサイルといった経空脅威だけでなく、海上を航行する水上艦艇や無人艇、水中から接近してくる潜水艦やUUV（Unmanned Underwater Vehicle、無人航走体）、魚雷、機雷まで含むすべての脅威に、全方位的に対応するAI搭載のスーパー防衛システムになったとしよう。

　物理上の常識で言えば、空中を超音速で飛行する物体はあり得ても、水中を超音速で進む魚雷は存在し得ない。当然、防空システムのAIにも魚雷を識別する際の要素として

魚雷の想定速度は水の抵抗と推進力を加味した従来の科学的常識に基づいた値が設定されるだろう。

　だが、もし敵が水中を音速で航走可能な超高速魚雷を開発投入すれば、それは設定外ということになり、AIが反応せず奇襲を許すことになる可能性も出てくる（この場合はAIの有無にかかわらず奇襲が成功する可能性が高いが）。

　これが艦隊を守るイージスシステムではなく、核攻撃から国を守る国家防衛システムだった場合、どうだろうか？　この「設定外」「想定外」は自国に致命的な打撃を与える深刻な戦略的奇襲を許すことになりかねない。

　となると、思考の柔軟性もあり、人智に並ぶ思考が可能な完璧な「一般AI」が開発されない限り、想定外にも対応できる（かもしれない）人間の判断力を前提にするしかない、ということになるのか。どこまで人間はAIに依存できるか、依存していいのか、という疑問は人間を悩ますことになるだろう。

　こうしたAIが持つ欠点や欠陥リスクをどの程度であるなら受容できるか――。どの程度、AIに依存していいのか――。AIとの共存、AIの活用を図るうえで、今後、経済、安全保障などあらゆる分野でリーダーたちがこうした重い判断を迫られることになっていくだろう。

▌AI兵器開発競争がもたらすもの

　AIはアルゴリズムに基づいて書かれたソフトウェアであるため、いったん入手すれば複製は容易であり、AI兵器も敵の手に渡ればあっという間に複製されて能力差は相対化されてしまうだろう。

　太平洋戦争の初期において圧倒的性能差を誇ったゼロ戦も、墜落した実機を米軍が捕獲・入手して徹底的に分解解析されてからは一気に相対化されていった経緯がある。

　入手できれば複製が容易なAI兵器のこうした特性は、優位性の陳腐化や相対化につながる可能性もあるが、むしろその優位性を確保できているうちにAI兵器を使って既成

事実の積み上げを急ごうという心理を後押しする可能性もある。

　AI兵器の開発状況を偵察しようと各国は諜報活動を激化させることになるだろう。コードという無形のもので編まれ、電子的に記録されているAIは秘匿もまた容易だ。サイバー攻撃やヒューミントによるハッキングが成功しない限り、物理的に窃取することはむしろ難しいかもしれない。

　そうなると備えの議論は楽観よりも悲観に基づくものにならざるを得ない。一体、どちらが優位に立っているのか、もしかしたら相手は革新的なAI兵器の開発に成功したのではないか。そうした疑心暗鬼の心理状況が続く中ではおよそ楽観的に見積もりを立てられる余地は少ない。

▌「期待」と「恐れ」による不安定化

　しかし、その一方で急速な環境の変化は立ち止まることを許してはくれない。超音速でミサイルが行き交い、光の速さで攻撃されるサイバー戦など、我々を取り巻く戦略環境は人間の認識能力では追いつけないものにどんどんなっていくだろう。

　AI兵器は戦いのスピードを格段に迅速化させることで、外交交渉など軍事以外の手段による紛争解決や停戦といった時間的余地をどんどん狭めていくかもしれない。AIのスピードがどんどん意思決定者を追い立てて、追い込んでいく世界である。

　恐ろしいまでのリスクをはらんでいるAIの軍事への応用。

　だが、この危険なゲームには不参加という選択肢はあり得ない。多少の欠陥や懸念があろうともAI兵器の装備化を躊躇わない敵が出てくれば、こちらも、どこかの時点でAI兵器化の舵を切る決断に迫られることになるのは必至だ。こちらも対応しなければますます相手に優位に立たれてしまうことになるからだ。

　このゲームを支配するのは、相手に対して圧倒的な優位に立てる能力差をAIが提供してくれるかもしれない、という期待と、AIによって戦略的優位を失うことへの恐れの2つだ。

リードする側は圧倒的な差を維持し続けたいと思うだろうし、リードされる側、あるい
は追いつかれると感じる側は、相手に追い抜かれること、相手との圧倒的な差が固定化
することをなんとしても避けたいと感じる。

　その先には何が起こるか。リードする側は圧倒的な差を享受している間にAIの力を借
りて自己の戦略目標を達成してしまおうという誘惑に駆られるかもしれない。

　逆にリードされる側は相手との差がこれ以上開かないうちに（リードの差が小さいう
ちに）行動を起こさなければならない、と決意するかもしれない。つまり先制攻撃であ
る。

　AIがもたらす期待と恐れという心理的効果によって、抑止が働くどころか、世界の安
定は損なわれていくのではないか。AIによって戦争が起きやすくなるかもしれないとい
う懸念を筆者は覚える。

5

極超音速兵器
(Hypersonic Weapon)

最も優先すべきものは極超音速兵器だ

多くのロビイストがオフィスを構えるワシントンのKストリート。

そこに集まった米国の名だたる軍事産業のエグゼクティブたちはその男が何を語るのか、ジッと耳を傾けていた。

▼図5-1：グリフィン次官の発言に耳を傾ける国防産業の関係者

(撮影：米軍)

「他の技術を優先すべきだと考えている方には申し訳ないし、それらの技術が重要ではないと言っているわけでもない。だが、最も優先すべきものは極超音速兵器（Hypersonic Weapon）だ。私はそう思う」

こう語る男性は、国防総省の研究開発・エンジニアリング担当のマイケル・グリフィン次官。

米軍が投資すべき将来の軍事技術は何かを決める、実質的な最終責任者だ。顧客である国防総省の技術開発を統べるグリフィン次官が何を重視しているのか。会場にいる国防産業の関係者は、グリフィン次官の発言から自社の利益につながるヒントを探ろうとしていたのだった。

この一幕を描いた『ニューヨークタイムズマガジン』（2019年6月19日付）によれば、グリフィン次官は米国の軍事力と戦略的優位性に対する筋金入りの信奉者だという。5

つの（！）の修士号に加えて航空宇宙工学の博士号を持つグリフィン次官は、宇宙関連の著作もあるほか、NASAのトップを4年間務めた経験もある。

▼図5-2：マイケル・グリフィン国防次官

(撮影：米軍)

　米国防産業の面々もその動向や発言に注目する、米国における軍事技術開発の元締めを務めるグリフィン次官。彼が強力に開発を推し進めているのが、極超音速兵器（以下、Hypersonic Weapon）だ。

　「Hypersonic Weaponはこれまでの常識を変えるゲームチェンジャー（Game Changer）になる」というのが持論のグリフィン次官。「ゲームチェンジャー」とは「既存のゲームのルールを変えてしまうほどのインパクトをもたらす」という意味で、米国の専門家が「画期的な技術」を指す時によく使うワードだ。

　Hypersonic Weaponを最重要視するグリフィン次官は「数千発のHypersonic Weaponを装備する」ことを目指すとしている。

　Hypersonic Weaponが持つ戦術的、戦略的インパクトは大きく、仮に敵だけが保有することになれば「敵にやりたい放題を許すか、さもなくば核攻撃で報復するしかない」と、グリフィン次官は議会公聴会で強調した。

▌Hypersonic Weaponの特性

● 定義は「マッハ5以上」

　では、米国をしてゲームを変える（Game Changing）兵器だと注目させるHypersonic Weaponとは、どういうものなのだろうか。Hypersonic Weaponとは音速の5倍にあたるマッハ5以上で飛ぶ兵器を指したもので、日本語では「極超音速兵器」と言われる。

　マッハ5以上の高速であることがHypersonic Weaponの定義となるが、各国が開発を進めているものの大半はマッハ10が主流で、場合によってはマッハ15を目指しているものもある。

　まだどの国も実用化できていないとされるが、ロシアは世界にさきがけて実戦配備を実現したと主張している。ロシア軍はこれまでに空中発射型弾道ミサイルKinzhal（キンジャール。西側コードはDagger）をミグ31から発射する実験を複数回、実施しており、Tu-22M3爆撃機に実戦配備済みだとしている。

▼図5-3：Kinzhal（キンジャール）を搭載したミグ31

（出典：Sptutonik/ RT）

● 2つのタイプ：HGVとHCM

Hypersonic Weaponは主に2つのタイプに分けられる。1つ目は、HGV（Hypersonic Glide Vehicle）。弾道ミサイルの弾頭に搭載されて発射されるグライダー（Glider）タイプである。

2つ目として、スクラムジェットエンジンを搭載したHCM（Hypersonic Cruise Missile、極超音速巡航ミサイル）と呼ばれる巡航ミサイルタイプが開発されている。

グライダー型のHGVが弾道ミサイルの先端に弾頭として搭載かつ発射されて滑空する方式を取る一方、巡航ミサイル型のHCMはそれ自体が推進力を持つミサイルであり、原子力潜水艦、水上艦、爆撃機などから発射する方式である。

▼**図5-4**：飛翔するHGVのイメージ

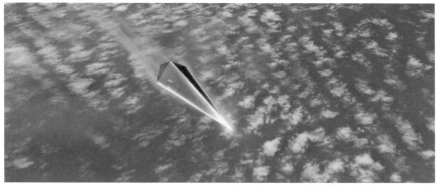

（出典　DARPA（米国防高等研究計画局））

● 地上のどこにでも1時間以内に弾着

実際、米海軍はすでに将来のHypersonic Weaponを潜水艦に搭載することを視野に、ジェネラル・ダイナミクス社にヴァージニア級攻撃型原子力潜水艦に搭載されているミサイル発射管（Virginia Payload ModuleブロックV）の改良を依頼している。

仮に極超音速兵器が水上艦や潜水艦に装備されれば、飛躍的に米海軍の対水上、対陸上打撃能力が強化される。米軍が水上艦や潜水艦に現在、装備しているトマホーク巡航ミサイルは最大で時速550マイルだが、一方のHypersonicはマッハ5であれば時速3600

マイルを誇り、地球上のどの地点でも1時間以内に弾着することになる。

　500海里先の目標を攻撃するにはトマホークだと2時間の飛行時間を必要とするのに対し、例えばロシア政府はマッハ10の性能があるとしているので、仮にそれが事実だとすれば、バミューダ海にいるロシアの潜水艦から発射してワシントンの国防総省には5分ほどで到達することになる。また、仮にグアムに米軍が配備した場合、理論上、中国内陸部にあるミサイル施設や宇宙関連施設に対して15分以内に攻撃できることを意味する。

　図5-5は、米軍のB-2ステルス爆撃機に搭載した場合の比較だ。米ミッチェル研究所によれば、亜音速の巡航ミサイルに比べてHypersonic巡航ミサイルは8倍の優位性があるという。トマホーク巡航ミサイルが100マイル飛行した時点でHypersonicであれば800マイルも飛翔していることになると指摘する。これはこの後、触れる戦術上のメリットにつながってくる。

▼図5-5：B-2搭載時の亜音速巡航ミサイルと極超音速巡航ミサイルの飛距離比較

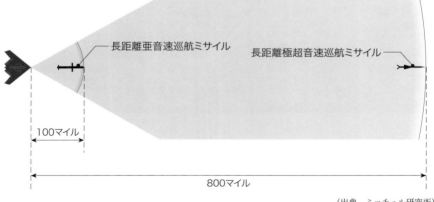

長距離亜音速巡航ミサイル

長距離極超音速巡航ミサイル

100マイル

800マイル

(出典　ミッチェル研究所)

　ちなみに日本も、Hypersonicには及ばないが同様の能力をすでに保有している。実戦配備が近づいている三菱重工製のASM-3空対艦ミサイルは超音速の飛翔速度を誇る。水上艦にとっては水平線から姿を現したASM-3を探知できた時には、弾着まで残された猶予は30秒から40秒程度しかない。防御側が反応できるのは事実上、難しい「必中」のミサイルとも言われている。

▌攻撃側への戦術上のメリット

さて、Hypersonic Weaponは、攻撃側には絶大な戦術上のメリットをもたらすことになる。

● ①　ピンポイント攻撃

まず相手が迎撃できない高速な攻撃は、精密な誘導技術が確立されればHigh Value Asset（高付加価値目標）と呼ばれる高価値な目標への迅速なピンポイント攻撃が可能となる。

具体的には相手国の政経中枢、神経中枢をピンポイントで排除することが可能となる。要人の視察や訪問のスケジュールがわかれば、その訪問先に1000キロ以上の彼方から10分以内にHypersonic Weaponを打ち込み、暗殺をすることさえできてしまう。

当然、高価値な攻撃目標には相手国の安全保障の根幹である戦略兵器も対象となり得るだろう。具体的には核兵器の貯蔵庫や核ミサイルを搭載する戦略原潜（SSBN）の基地に対して迅速に攻撃を加えることが可能となる。

更に停泊中の空母は、その広大な飛行甲板が格好の大きな目標となる。横須賀に停泊中のタイミングを狙えば米軍の作戦行動は大きな遅滞を余儀なくされるだろう。

● ②　戦術レベルの絶大なメリット

また、防御側の迎撃が困難かつ、攻撃側が迅速に攻撃が可能という特性は戦域レベル、戦略レベルだけでなく戦術レベルにおいてもメリットは絶大だ。

例えば、これまでは有人機が行ってきた危険なSEAD*（敵防空網制圧任務）などをHypersonicミサイルが担うこともできるだろう。有人機が入れない危険な敵防空圏内における作戦を肩代わりすることができ、指揮官は有人機を危険にさらす作戦リスクを冒さずに攻撃計画が立案できることになる。

● ③　高速性

攻撃側にとっては、Hypersonicの高速性がもたらす時間の価値も大きいだろう。

現在、長距離攻撃を行おうとすればトマホーク巡航ミサイルが主な手段となるが、高速とは言えない亜音速のトマホークでは敵の防空網を突破できず、撃墜される可能性が

＊SEAD：Suppression of Enemy Air Defenses、敵防空網制圧任務

高い。

　加えて最大の問題は亜音速がHypersonicのマッハ10と比べたらマッハ0.7程度と圧倒的に低速であるため、発射後、目標に向かって飛行している間に目標の位置や状況が変化してしまうことである。発射時の情報だけでは正確な攻撃効果を得られなくなる可能性が大きく、目標への正確な誘導には飛行中の情報アップデートが必須となるデメリットがある。

　マッハ10や15という速度で飛ぶHypersonicにはそのようなデメリットはなく、その後の情報更新が難しいケースでも、発射時の目標に関する情報だけで攻撃効果を得られることが期待できる。

● ④　意思決定サイクルにおける時間的余裕

　敵目標への到達時間が短いということは、意思決定サイクルにおける時間的余裕をもたらすというメリットもある。巡航ミサイルや爆撃機による攻撃では前述のとおり低速で時間がかかるため、敵が移動してしまう前に攻撃をしなければならない。時間的余裕のなさが政治家や指揮官に迅速な決断を迫る。決断を下す側は、場合によっては十分な検討をできない中で攻撃の是非を判断しなければならなくなるかもしれない。

　だがHypersonic Weaponであれば飛行時間、つまり目標までの到達時間が圧倒的に短いため、攻撃直前ギリギリまで攻撃の是非を検討できる、つまり判断を留保できる柔軟性を確保できる。

　このように、Hypersonic Weaponとは、一言で言えば、あまりにも高速で飛行することで、これまでの軍事攻撃が直面していた距離と時間の制約からの解放を可能にする兵器だと言える。この点が「ゲームを変える」(Game Changing)と言われる所以だ。

▌防御困難なHypersonic Weapon

　攻撃側に絶大な戦術的メリットをもたらすHypersonicは、逆に防御側にとってはとても厄介な存在となる。現行のBMD(弾道ミサイル防衛)ではほぼ撃墜できないとされるからだ。

　その理由は3つ挙げられる。

● **撃墜できない理由①　迎撃ウィンドウが小さい**

　まず、そもそも低高度を高速で飛んでくるためレーダーで探知できるのが、ほぼ着弾の直前となってしまうため、いわゆる「迎撃ウィンドウ」が著しく小さい。

　図5-6にあるように、レーダーの電波は直線的に飛び、地平線、水平線の向こうには届かない（紫の直線）。接近高度が高い弾道ミサイルであれば、遠方で探知が可能だが（青い曲線と紫の直線が交わる青点）、高度100キロ以下、具体的には40キロ前後の高度を飛ぶHypersonic Weaponを探知できるのは、かなりの接近を許してからとなるだろう（赤い点）。しかもマッハ5以上であるため、探知してからこちらが対応を取れるレスポンスタイムは、数十秒単位になってしまうかもしれない。

▼**図5-6**：低高度弾道の優位性

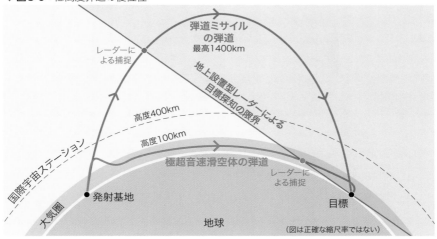

（出典 「エコノミスト」誌）

　ランド研究所は、探知できるのは弾着まで残り6分間程度の時点になるだろう、との見積もりを出している。人間の判断を介さずAIによって探知から迎撃までを自動化していない限り、迎撃は困難だと言わざるを得ないだろう。ましてや、複数の弾数が複数の方向から接近してくれば、対処能力が圧倒されることは容易に想像できる。

● **撃墜できない理由②　低高度**

　第2に、低高度は、現行の弾道ミサイル防衛網の迎撃可能高度の隙をつく。図5-7に、主な迎撃兵器の迎撃可能高度を示す。

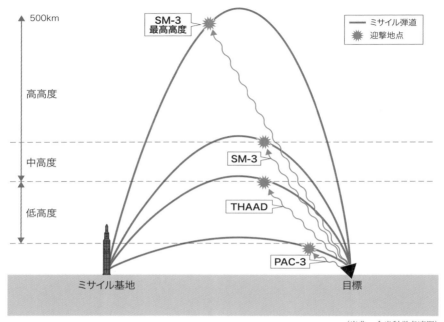

▼図5-7：SM-3、THAAD、PAC-3の迎撃高度の比較

（出典　全米科学者連盟）

　日米が運用している弾道ミサイル防衛用の迎撃ミサイルSM-3は、最新のブロック2A
であれば射高1000キロ以上を誇るが、弾道ミサイルを大気圏外で迎撃する方式のため、
宇宙との境界線とされる地表から100キロの高度より下を飛ぶHypersonicは迎撃できな
い（ただし、弾道ミサイルからHGVが高度100キロ以上の宇宙空間で分離される場合な
ら迎撃可能性は出てくる）。

　逆に、航空自衛隊も装備する地上配備の地対空ミサイルPAC-3にとって、高度100キ
ロは迎撃するには高過ぎる（迎撃可能高度は最大で20キロ程度とされる）。PAC-3が想
定する弾道ミサイルも終末段階ではマッハ5ないし7程度の速さで突入してくるので、応
答性が高いPAC-3であれば、突入してくるHypersonic Weaponを迎撃する能力は全く
ないわけではないが、迎撃可能範囲が非常に狭いため、撃墜率は高くないかもしれない。

　米軍がアジアでは韓国に配備している弾道ミサイル迎撃システムTHAAD（サード、終末高高度防衛ミサイル）でも、迎撃は難しいかもしれない。THAADが想定する迎撃高度は40キロ〜150キロ程度と言われ、HGVが飛翔する高度40キロ〜80キロの範囲を一見カバーできているものの、マッハ7程度と速度で劣るうえに、次に触れるように複雑な機動に対処できるようにはなっていない。

　ただし、ブースターを付加した最新の射程延伸型（Extended Range）であれば、弾道ミサイル対処能力が付与されて迎撃ウィンドウが広がっていることから、Hypersonic Weaponに対しても限定的な対処能力があるとされる。

　ただ、その場合も迎撃ウィンドウが狭いポイントディフェンス的なものになってしまう。それもHypersonic Weaponが自分の守備範囲に落ちてきてくれれば、という前提がつく。守備範囲に入ってきても、複雑な機動をされたら、それに追随する対処はできないだろう。

● 撃墜できない理由③　複雑な機動

　最後に、その複雑な機動が、弾道ミサイル防衛システムによる迎撃を困難にすると言われる。

　弾道ミサイル防衛システムが想定している弾道ミサイルは弧を描いて慣性で飛んでいくため、上昇段階のブーストフェーズが完了する頃には着弾点を割り出すことは難しくない。言い換えれば、単純な弾道を描く弾道ミサイル（あるいはその弾頭）の未来予測位置を割り出すことは難しくない。

　迎撃ミサイルのSM-3は、飛翔する目標の未来予測位置に先回りする形で、目標に激突して破壊する方式を取っている。

　だがHypersonic Weaponは発射後、複雑な機動を行うことが可能で、弾道ミサイルのような単純な放物線は描かない。複雑な機動によって理論的な未来予測位置は膨大な数となってしまう（弾着予測半径が広がる）ため、その地点に迎撃ミサイルを誘導（先回り）させて迎撃することは難しくなってしまうのだ。

● 被害限定措置も困難に

　複雑な機動によって弾着予測範囲が広がるということは、迎撃だけでなく被害限定措置も難しくする。放物線を描く弾道ミサイルの場合は弾道予測が容易で（**図5-8**の青い線）、ミサイルが着弾する地点がどこかの計算は、ミサイルが発射されたブーストフェーズにおいて算出できるとされる。このため、レスポンスタイムは極めて限られるものの、着弾予測地点に対して避難や退避の警告を出すことで、被害限定を試みる余地がある。

　しかし、Hypersonic Weaponの場合は弾着予測範囲が広範過ぎるため（**図5-8**の赤い線）、警報を出すにしても広域となるほか、接近を探知できるのが弾着の直前になる可能性もある。このため、被害限定の措置をとることは事実上難しく、迎撃手段も現時点では皆無と言っていい。このような状況も勘案すれば、発射ないしは接近を探知できても、あとはただ弾着までなすすべもなく見守ることしかできないという状況になり得る。

▼**図5-8**　再突入体（RV）と極超音速滑空体（HGV）の弾道の比較

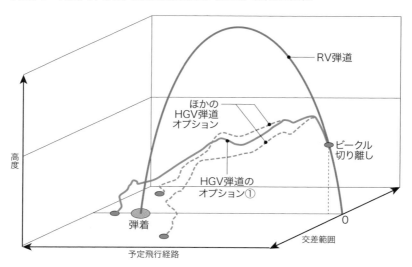

RV：Re-entry Vehicle、再突入体
HGV：Hypersonic boost-Glide Vehicle、極超音速滑空体

（出典　ランド研究所）

● 攻撃優位による戦略的不安定：攻撃への誘惑

　このようにHypersonic Weaponは、複雑な機動や飛翔高度のせいで、全く不可能ではないものの、その迎撃は非常に困難であり、それ故、防御より攻撃側が有利だと言えよう。こうした圧倒的な攻撃優位な特性は、戦略的な不安定をもたらすことが懸念される。

　この兵器は、攻撃に使うことで効果が最大化できる攻撃優位の特性があるので、先制攻撃への誘因を招く恐れがある。あまりにも高速かつ短時間で弾着し、かつ目標までのコースの予測が難しいだけに、攻撃側から見れば確実にピンポイントに除去したい対象を除去できる魅力がある。相手の神経中枢にピンポイントで打撃を加えることで、敵を麻痺させて反撃を招かないうちに事態を収拾することも、もしかしたら可能かもしれない。そんな誘惑が働いてもおかしくない。

　相手に防御手段がないのであれば、自国が攻撃手段を持っている間に戦略目標を達成してしまおう、あるいは先制攻撃で決着をつけてしまおう、そんな誘因が働くことが最も懸念される。

● 防御側の過剰反応

　事態をエスカレートさせるかもしれないのは、攻撃側だけではない。防御側の立場から見ると、事態はより深刻かつ複雑になり得る。その理由はHypersonic Weaponには核搭載型と通常型が混在することにある。Hypersonic Weaponの弾頭に搭載されているのが核兵器なのか、通常弾頭なのかを外見から見分けることは非常に難しい。ましてや飛翔中のものをレーダー上で見分けることは不可能だ。

　そのため防御側は、極めて短時間のあいだに接近中のHypersonicが通常弾頭なのか、核弾頭なのか、つまり核攻撃を受けようとしているのか、それとも通常兵器による攻撃を受けようとしているのか、どちらかハッキリしないまま対応策を取ることを迫られることになる。

　通常攻撃であっても、極度の緊張と対応可能時間の短さから、攻撃を核攻撃だと誤認して核による報復攻撃を決意してしまう恐れすら出てくる。つまりHypersonic Weaponはピンポイントによる迅速なグローバル攻撃が可能である一方、その特性から防御側の過剰反応を引き出し、事態をエスカレートさせてしまうリスクが伴う。

これらの戦略的な影響を鑑みると、Hypersonic Weaponの開発競争において負けるということは、場合によっては致命的な戦略的劣位に立たされることを意味しかねず、その観点からこの分野における米中の競争が激化することは避けられないだろう。

中国の開発状況

● ASBM（対艦弾道ミサイル）との組み合わせ

こうした懸念は、中国のHypersonic Weaponの開発状況を見れば決して杞憂とは言えない。

結論から言えば、中国のアプローチは準中距離弾道ミサイルをベースにしていることから、A2/AD能力の柱であるASBM（対艦弾道ミサイル）と組み合わせて、東アジアにいる米空母や爆撃機などを叩くことを想定していると考えられる。

それは、奇襲的に先制攻撃を仕掛けることで、相手に反応するヒマも与えないで決着を付ける戦いを可能とする能力の獲得を意味する。まさに攻撃優位（つまり先制攻撃が優位）というHypersonic Weaponの特性を最大限に活かした運用を想定して開発を進めていると推測されるのだ。

● アメリカに先行する中国

ジェーン（Jane's）が2018年5月に米中経済安保委員会に提出した「中国の先進兵器システム」*と、2019年9月にアップデートされた米議会調査局のレポート「極超音速兵器：背景および議会のための論点」*によれば、中国の開発は米国より先行していると言われ、今後、数年以内には実用化されるとも言われる。以下、両レポートに基づいて中国、米国の開発状況を概観したい。

● DF-17

中国の開発プログラムの中で最も実用化に近いと見られるのが、極超音速グライダーのDF-17/WU-14（DF-ZF）だ。DF-17は2019年10月の中国建国70周年記念パレードで初めて公になったもので、それまで国防総省は「WU-14」というコードネームで呼んでいた。また、「DF-ZF」と呼ばれることもある。

＊「中国の先進兵器システム」：China's Advanced Weapons System
＊「極超音速兵器：背景および議会のための論点」：Hypersonic Weapons: Background and Issues for Congress

▼**図5-9**：DF-17

　DF-17／WU-14は2014年1月以来、少なくともこれまでに9回の飛行試験が実施されていて、最も早くて2020年中に実戦配備されるという説もある。

▼**表5-1**：WU-14=DF-17/DF-ZFの発射実験

日付	飛翔距離（km）
2014-1-9	1750
2014-8-7	1750
2014-12-1	1750
2015-6-7	1750
2015-8-20	2100
2015-11-23	1250
2016-4-22	1250

（出典　ジェーン（Jane's））

　実験における飛距離は1800キロから2000キロ程度で、MRBM準中距離弾道ミサイル（射程1000〜3000キロ程度）のレンジでの運用を想定していることが窺える。同じく準中距離ミサイルのASBMとの併用が噂される所以だ。

　その精度、誘導方式、再突入速度などの性能は全く不明とされるが、2014年が最初の実射であること、その後の発射実験も成功していると見られていることを考えると、その後、一定の技術的進展が図られていると評価すべきかもしれない。

● HGVが主軸の研究開発

　中国のHypersonic Weaponは、移動発射台（TEL）から発射される弾道ミサイルに搭載するHGV方式が研究開発の主軸となっていると見られ、中国が運用するDF-11B、DF-15B、DF-15C、DF-16、DF-21C、DF-21D、DF-26の各弾道ミサイルにも搭載可能だと言われる。

　このほかにも、Starry Sky-2（星空2号）と呼ばれる核搭載可能な試験機について、2018年8月に発射実験を行っている。衝撃波による空気の圧縮で揚力を得て飛行するタイプとされ、マッハ6の最高速度を記録したほか、いくつかの複雑な機動も行ったと言われている。

▼**図5-10**：運ばれるStarry Sky-2（星空2号）

(出典　CNN/CCTV（中国中央電視台）)

▍開発状況から窺える中国の狙い

● BMDの無効化

　精力的に開発を進めている中国の姿勢、そしてHypersonic Weaponの特性を掛け合わせることで、中国の狙いを想像してみよう。

　Hypersonic Weaponには現行のBMDシステムを突破する能力があること、つまり今のBMDシステムではほぼ迎撃は不可能であることは前述の通りだ。中国は過去に米軍

が韓国にTHAAD配備をした際、強い不満を示した経緯があることを考慮すると、熱心な開発姿勢の背景には米軍のBMDシステムを無効化させる狙いがあることが推測できる。

● 当面は戦術兵器として運用

先ほども触れた通り、準中距離弾道ミサイルをベースに開発を進め、**表5-1**に示したように、発射実験での飛距離もほとんど1750キロ以内に留まっていることから（米国の発射実験は3800キロ以上の飛翔距離を目指すものが大半）、中国はHypersonic Weaponを戦略兵器として米本土向けの核攻撃に使うのではなく、当面は戦術兵器として東アジア地域内にある日米のHigh Value Asset（高付加価値目標）に対する通常攻撃を目指していると考えられる。

準中距離戦術ミサイルをベースにする中国のアプローチは、技術的には堅実とも言える。Hypersonic Weaponの最大の技術的課題は、高速で発生する熱に耐えられる素材作りだとも言われる。戦略兵器に近い形でより長射程を飛翔させることを目指す米ロと比べれば、中国のHGVは射程が短い分、高熱にさらされる時間が短くなり、耐熱技術のハードルも米国型ほどは高くないことが予想され、実用化のハードルも相対的に低いと言えよう。その意味で中国は現実的なアプローチを採用しながら、確実かつ早期の実戦配備を実現することを優先させようとしていると言っていいだろう。

だが、同時にDF-ZFには長距離飛行が可能なスクラムジェットが応用されていないことから、長距離化の技術に苦労していることの反映だとも言えるかもしれない。

言い換えれば、中国の野望は中距離ミサイル型の運用で満足しているとは限らないということになる。むしろ、ひとたび準中距離弾道ミサイル型を実用化すれば、次のステップとしてDF-21やDF-26への搭載につなげ、更にはICBM化を目指すことになるだろう。HGVを搭載すれば射程は本来の弾道ミサイル射程から更に1000キロ延びると言われる。

今後、中国がスクラムジェットの開発に成功し、Hypersonic Weaponの更なる長射程化、ICBM化を実現すれば、核戦力、通常戦力の双方において日米の安全保障に極めて深刻な影響を与えることになるだろう。

▌米国の開発状況

　2014年に最初の発射実験を行うなど、中国は少なくとも2013年以前から開発ピッチを上げてきたのに対して、米国は最近まで研究開発のペースは低調で、そのピッチが上がってきたのはここ最近だ。

● 一貫性のない予算

　表5-2の研究開発費の予算推移を見ても、2013会計年度までの投資額は低調だった。2014会計年度に倍増し、2015年度は前年比約4割増とハイペースの増額を記録するも、その翌年の2016会計年度は前年の半分以下に落ちている。中国の研究開発の台頭を受けてか、2017会計年度では一気に3倍となり、2018年度も同額ペースが維持されている。

　投下予算に脈絡のないアップダウンがあり、右肩上がりで予算が投下される重点分野として一貫して位置づけてきたとは言い難いペースだ。むしろ2017年度における3倍増は、2014年から2015年にかけて立て続けに実射試験に成功した中国のペースに危機感を覚え、泥縄式に予算ペースを上げたとも読み取れる。

▼**表5-2**：Hypersonic 研究開発費の予算推移

会計年度	12	13	14	15	16	17	18 （要求）	12-17年 合計
Hypersonic 関連科学技術予算	78.8	72.9	161.7	221.4	108.8	378.1	292.5	1021.7

（単位：百万ドル）

● 一貫性のない開発

　米国の開発プログラムの乱立ぶりを見ても、一貫した統一方針のなさが窺える。2000年代前半から開発は進められてきたが、開発主体も陸海空の3軍に国防総省傘下の研究機関DARPA、そして国防産業が合同あるいは単独でバラバラに進める形で開発プログラムが乱立している（**表5-3**）。

▼表5-3：米国の主な開発プログラム（米議会調査局報告書より）

米海軍	・Intermediate Range Conventional Prompt Strike Weapons (IR-CPS) （中距離通常型即時攻撃兵器）
米陸軍	・Land-Based Hypersonic Missile (Long Range Hypersonic Weapon) （地上発射型極超音速ミサイル）
米空軍	・Hypersonic Conventional Strike Weapon (HCSW) （極超音速通常弾頭型攻撃システム）→2021会計年度予算要求でキャンセル ・AGM-183A Air-launched Rapid Response Weapon (ARRW) （空中発射型即応兵器）
DARPA	・Tactical Boost Glide (TBG) （戦術ブースト滑空体） ・Advanced Full-Range Engine (AFRE) （先端フルレンジ・エンジン） ・Operational Fires (OpFires) （地上発射型極超音速ミサイル） ・Hypersonic Air-breathing Weapon Concept (HAWC) （極超音速吸気型兵器コンセプト）

● X-51による実験

　米空軍研究所（AFRL）は、2010年と2013年に、X-51 Waverider（ウェーブライダー）＊と呼ばれ、スクラムジェットエンジンを推進力とする無人試験機をB-52爆撃機から発射する実験を複数回行っている。エンジンが点火できないまま墜落したケースなど失敗が続いたが、最後の実験ではマッハ5を記録したとされている。

▼図5-11：B-52の主翼に吊るされた極超音速無人実験機X-51

(出典　米空軍)

＊ Waverider（ウェーブライダー）：極超音速を実現する機体モデルの1つ。発生する衝撃波で揚力を得る。

米国はX-51の実験によって極超音速領域における誘導技術、熱抵抗、弾頭成型技術など将来の実用化に向けた貴重なデータを収集したとされる一方、ジェーン（Jane's）の報告書は中国のHGV試験成功率が83％なのに対して米のスクラムジェット型HCMは25％と低く、過去2年間、飛行試験を行っていないことを挙げて、米国の開発レベルがまだ中露より数年遅れている可能性を指摘している。

● 長期的にはスクラムジェットを推すアメリカ

ただ、筆者は、この分析には同意できない。単純に比較できない上、米国の開発が遅れているとは断定できないからだ。中国はより技術的難易度の低いHGVで実験成果を上げているのに対し、米国はより技術的ハードルの高いスクラムジェットの開発を進めているため、そもそも比較対象が異なる。

グリフィン国防次官はかねてより「開発スピードを上げれば上げられたが、我々はあえて慎重に正確な誘導技術の確立を目指してきた」と強調している。

この言葉からは「中国の開発ペースは無視できないが、我々も進捗している」というニュアンスが伝わってくる。米国が進めているスクラムジェット型は、空気との摩擦で発生する高熱によってシーカーの画面が真っ白になってしまう問題をどうするか、が課題だ。耐熱性があり電波透過性もある素材を合成し、更に弾頭と組み合わせる成型が技術課題となる。サファイアや人工ダイヤモンドといった素材を成型することになる。

正確な誘導技術の確立を強調するグリフィン発言から、おそらく米国はこれらの課題の克服にもメドをつけたことが推測できる。つまり、中国の開発スピードは目覚ましいものがあるがHGVという滑空するものであり、米国はスクラムジェット型のより推進力と長射程化が得られるタイプの開発を目指していると言えるだろう。

● 予算の大量投入

こうした中、米国はここに来て予算の大量投入を加速させている。米海軍のCPSは2021会計年度だけで10億ドルの予算要求をしていて、2027会計年度内のヴァージニア級攻撃型原子力潜水艦への搭載を予定している。また、米陸軍が2023年までに発射実験

を、米空軍のARRWが2022年までに発射実験を行うことを目指している。このほかにも、DARPAのTBG、AFRE、OpFires、HAWCがすべて2020年中にテストフライトないしはプログラムの完了を目指している。

　現時点で米国は核搭載型の開発は行っておらず、通常弾頭による長距離打撃力の獲得を目指している。核搭載型であれば精密攻撃は必須とはならないが、通常型はピンポイントの攻撃が必須となるため、誘導技術の精緻化が早期実用化に向けたカギとなる。

技術的課題

このほかにも技術的課題は残されている。

● 空気抵抗

　空気抵抗を低減させるために鋭角的形状となるが、一方で表面温度が上がるデメリットを伴う。空気抵抗を減らすために鋭角にすればするほど、高熱を発生させるトレードオフに陥ってしまうのである。耐熱措置として本体をセラミック、グラファイト、ニッケルによって合成しなければならないが、DARPA米国防高等研究計画局はセラミックなどの複合成型技術の精緻化に手間取っているとされる。

● 機動

　複雑な機動をすることで弾着地点の予測を難しくし、かつ迎撃を回避する特性を実現しようとすると、機動を可能とするフラップが必要となる。しかしフラップは機体の振動の原因になって姿勢の安定に悪影響が出るだけでなく、飛距離が短くなる難点がある。そのため性能を落とさずにどう高機動を可能とするのか、両者のバランスをどう取るのかが難しいと言われる。

● 気流

　更に本体表面の気流の管理も課題となっている。極超音速域においては、どのような条件で本体表面の気流が安定したり、あるいは不安定になるか、まだその原理の解明は完全にはできていないとも言われる。

● 米陸軍の開発プログラム

次に、米軍が現在進めている開発プログラムをいくつか具体的に見てみよう。

陸軍が開発を進めているのは、地上発射型戦術極超音速ミサイルシステムだ。ロッキード・マーチン社が受注した「地上配備型長距離極超音速ミサイル」(Land-Based Hypersonic Missile) と呼ばれるプログラムで、2023年までにプロトタイプの製造を目指している。レーザー、高出力マイクロ波と並んで米陸軍の技術開発部署の優先事項の1つだ。

▼**図5-12**：Long Range Hypersonic Weapon部隊のイメージ

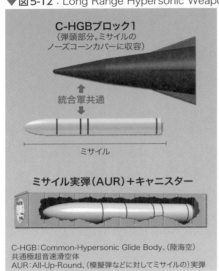

C-HGBブロック1
(弾頭部分。ミサイルの
ノーズコーンカバーに収容)

統合軍共通

ミサイル

ミサイル実弾(AUR)＋キャニスター

C-HGB：Common-Hypersonic Glide Body、(陸海空)
共通極超音速滑空体
AUR：All-Up-Round、(模擬弾などに対してミサイルの)実弾

バッテリー運用センター

ブロック1統合：高度野戦砲兵戦術データシステム 7.0

M983A4
(ミサイル牽引車)

M870(40トン低床セミトレーラー)

1部隊は4台のTEL(移動発射台)で構成
1台のTELに2発搭載

TEL：Transporter Erector Launcher、移動発射台

(出典　米陸軍)

この計画は、ダイネティクス(Dynetics)社が10基のHGVを試作中の、陸海空共通のプログラム(C-HGB：Common-Hypersonic Glide Body)の陸軍バージョンとなる見込みだ。コンセプトではロケットモーターを使った短距離攻撃も可能であることから、敵防空網の制圧、破壊任務や有人機による攻撃後の追加攻撃が主な任務として期待されている。いわば有人機や巡航ミサイルの肩代わりを務めるものとして位置づけられている。

なお、海軍が開発中の水中発射型のIR-CPSと、陸軍が開発中のLong Range Hypersonic Weaponとは共通のプラットフォームで、C-HGBがベースとなる。

　マッカーシー陸軍長官は、2020年1月のブルッキングス研究所での講演で、このシステムが「将来の戦争を変える兵器」だと指摘すると共に「将来のマルチドメイン部隊の中核となる能力で、南西諸島に配置してもいいだろう」と発言して物議をかもしている。

　このシステムが配備されれば、米陸軍は、**図5-13**にあるように、二桁台の射程の打撃力に加えて、一気に1400マイルクラスの長距離打撃力を獲得することになる。

▼**図5-13**：2019年現在および将来における米陸軍の火力

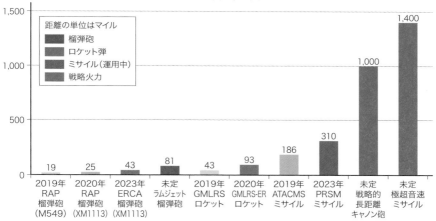

RAP：Rocket Assisted Projectile、ロケット補助推進弾（現在はM549A1、将来はXM1113）
ERCA：Extended Range Cannon Artillery、射程延伸型キャノン砲
GMLRS：Guided Multiple-Launch Rocket System、誘導多連装ロケットシステム
GMLRS-ER：Guided Multiple-Launch Rocket System – Extended-Range、射程延伸型誘導多連装ロケットシステム
ATACMS：Army Tactical Missile System、地対地ミサイル
PRSM：Precision Strike Missile、精密打撃ミサイル

（出典　Breaking Defense/米陸軍）

● 米空軍の開発プログラム

　一方、米空軍は爆撃機から発射するタイプを開発中だ。AGM-183A（ARRW）はロッキード・マーチン社が受注しているもので、B-52爆撃機からの発射実験を2019年に行っている。4億ドルの契約金額で2021年11月までにプロトタイプを開発することが目標とされる。

▼図5-14：B-52に搭載されたAGM-183A

（出典　米空軍）

　基本コンセプトは、ロケットブースターによって加速したAGM-183Aが最大でマッハ10に達して陸上目標を攻撃するというもので、2025年前後の実戦配備を目指す。

● DARPAの開発プログラム

　一方、米国防総省傘下の研究開発機関であるDARPA（国防高等研究計画局）も、複数のプログラムを走らせている。

　その1つである空中発射型のTBG（Tactical Boost Glide、戦術ブースト滑空体）は、空軍との共同プロジェクトだ。マッハ7クラスの空中発射型HGVの開発を目指しており、レイセオン社とロッキード・マーチン社がそれぞれプロトタイプの開発を委ねられている。

　海軍もTBGをベースに水上艦のVLS（垂直発射装置）から発射するタイプの開発を進めようとしている。将来的には、海上版TBGが、水上艦が運用中のトマホーク巡航ミサイルを代替する可能性がある。

　また、DARPAは、空軍と共同で、空中発射型の極超音速巡航ミサイル（HCM）の開発も進めている。HAWCプログラムはロッキード・マーチン社が9億ドルで受注。ロケットブースターで発射、加速した後、スクラムジェットエンジンでマッハ5〜10の速度で攻撃目標に向かうというものだが、プロトタイプの開発までにはまだ道半ばだとされ

る。受注したロッキード・マーチン社はHAWCをF-35ステルス戦闘機に搭載するコンセプト案を発表している。

▼**図5-15**：HAWCを搭載するF-35のイメージ

（出典　ロッキード・マーチン社）

● 米軍全体の運用目標

Long Range Hypersonic Weapon と OpFires が陸上発射型、IR-CPSが潜水艦、ARRWは爆撃機と水上艦、HAWCは戦闘機に搭載するHypersonic Weaponとして開発が進んでおり、陸海空のあらゆるビークルからの運用を米軍は目指していると言える。これらのすべてのプログラムが実用段階を迎えた時、米軍は陸海空のすべての領域でマッハ5以上の高速の長距離打撃力を獲得することになる。

最終的には、米軍が装備するHypersonic Weaponは「数千発」（グリフィン国防次官）レベルとなることを想定している。

米軍が想定する運用方法は、中国のA2/AD能力の中核であるASBM（対艦弾道ミサイル）やHypersonic Weaponを搭載する移動発射台（TEL）に対する打撃だと思われる。中国がASBMやHGVを発射する構えを見せたら、ただちに大量のHypersonic Weaponの攻撃をもって15分以内に攻撃を加え、移動発射台を無力化することになるだろう。

(出典　DARPA（米国防高等研究計画局））

　ただ、いずれのプログラムも、実戦配備は最速で2025年まで待たなければならず、2020年以降から実戦配備を進めると見られる中露が先行することになる。

● 日本の開発

　一方、日本も陸上自衛隊向けに「島嶼防衛用高速滑空弾」の開発を進めている。離島などへの侵攻に対して敵の脅威圏外から攻撃ができるスタンドオフ能力を国産によって獲得するのが目的だ。ただ、「高速」という名称の通り、極超音速の域には達しないと見られている。

▼図5-17：島嶼防衛用高速滑空弾

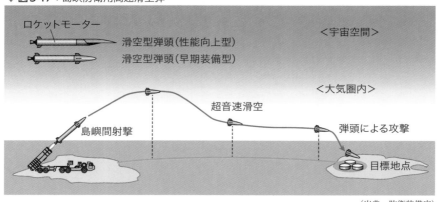

(出典　防衛装備庁)

　陸自では、MLRS（多連装ロケット）部隊を代替する形で、高速滑空弾大隊2個の編成が決定しており、まずは既存技術をベースにした早期装備型とされるブロック1を2026年度までに装備化することを目指している。その後のブロック2は性能向上型としてウェーブライダー型のものを2028年度以降に装備する予定になっており、射程は300〜500キロだとされる。

　防衛装備庁によれば、今後、スクラムジェット型の極超音速誘導ミサイルやロケットモーター型の高速の滑空型飛翔弾の開発を進め、国産の測位衛星による誘導、電波および画像による精密誘導技術などを活用した、日本版の極超音速誘導弾システムの実現を目指していくという。

　ただ現時点では、滑空型弾頭は極超音速域に達する水準ではなく、超音速以下の速度になる見込みが強いとされている。スクラムジェット型の開発は三菱重工が技術蓄積を図ってきているが、先行する米国との共同研究が可能かどうか、その際、米国に対する交渉力となり得る日本の技術的強みがどこになるのか、といった課題が残されている。

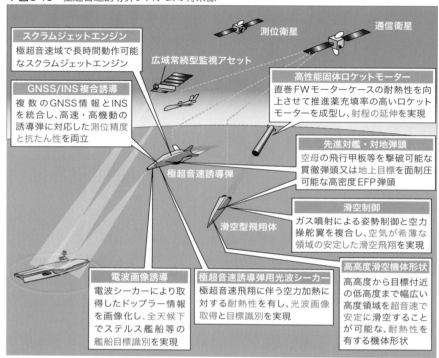

スクラムジェットエンジン
極超音速域で長時間動作可能なスクラムジェットエンジン

測位衛星　　通信衛星

広域常続型監視アセット

GNSS/INS複合誘導
複数のGNSS情報とINSを統合し、高速・高機動の誘導弾に対応した測位精度と抗たん性を両立

高性能固体ロケットモーター
直巻FWモーターケースの耐熱性を向上させて推進薬充填率の高いロケットモーターを成型し、射程の延伸を実現

極超音速誘導弾

先進対艦・対地弾頭
空母の飛行甲板等を撃破可能な貫徹弾頭又は地上目標を面制圧可能な高密度EFP弾頭

滑空制御
ガス噴射による姿勢制御と空力操舵翼を複合し、空気が希薄な領域の安定した滑空飛翔を実現

滑空型飛翔体

高高度滑空機体形状
高高度から目標付近の低高度まで幅広い高度領域を超音速で安定に滑空することが可能な、耐熱性を有する機体形状

電波画像誘導
電波シーカーにより取得したドップラー情報を画像化し、全天候下でステルス艦船等の艦船目標識別を実現

極超音速誘導弾用光波シーカー
極超音速飛翔に伴う空力加熱に対する耐熱性を有し、光波画像取得と目標識別を実現

（出典　防衛装備庁）

▌動き出した対策

　実戦配備が間近とされる一方で、まだ実用段階にはないHypersonic Weaponだが、すでに米国の軍事コミュニティでは対Hypersonic防衛の議論が始まりつつある。まだ起きていない作用（実戦配備）に対して、反作用の兆候（対抗措置の議論）がすでに出てきている点は特筆に値すると言っていい。それだけHypersonicが持つ潜在的なインパクトが重く受け止められている表れだと言っていいだろう。

　米国防総省のミサイル防衛局（MDA：Missile Defense Agency）は、

・ HDWS（Hypersonic Defense Weapon System　Concept Definition、極超音速兵器防衛構想）

- RGPWS（Regional Glide Phase Weapon System、戦域滑空フェーズ兵器システム）

と呼ばれる、2つの対Hypersonic Weapon防衛のためのインターセプター（迎撃体）の開発を立ち上げている。

　前者のHDWSは、まだ防衛産業に対して広くコンセプトの募集をかけているだけの段階である。レイセオン社のSM-3 Hawkやロッキード・マーチン社のValkyrieおよびDARTなど、既存技術を活用したキネティック型のインターセプター迎撃体が4例、レイセオン社によるレーザー活用が1例、コンセプトのさらなる精緻化を進める事業に選定されている。

　後者のRGPWSは、滑空フェーズでのHGV迎撃を想定した研究開発を行うもので、現在はコンセプトを企業から募集している段階。かなりの長期計画となりそうだ。

　この計画は「Regional」つまり戦域レベルと銘打たれ、かつGlide Phase（滑空フェーズ）における迎撃を目指していることから、想定している迎撃対象のHGVは準中距離弾道ミサイルをベースにしている中国のHGVであると想像できる。

　MDA（ミサイル防衛局）は、2024年度までに6億ドルの予算を投下する方針で、インターセプターのプロトタイプの完成を急ぐ方針だ。

● DARPAのGlide Breaker計画

　このほかDARPAも、2018年にGlide Breaker計画を立ち上げている。ノースロップ・グラマン社がDARPAから実証技術の開発を2020年1月に受注した。契約金額は1300万ドルと少額だが、巨額となる契約額の第一弾と見られる。報道によればDAPRAは、2020年中に初の実射試験を目指しているとの情報もあるが、迎撃方式、インターセプターの形態など、その詳細は一切、明らかになっていない。

（出典　DARPA（米国防高等研究計画局））

　少なくとも公開情報の範囲で見る限り、米国のインターセプター開発はまだ始まったばかりで、その実態はハッキリしないのが実情だと言わざるを得ない。

　その一方で、実用化に向けた地ならしともなった取り組みが過去にあった。その計画こそ、1983年にレーガン政権が打ち出したSDI（戦略防衛構想）における弾道ミサイル迎撃体「ブリリアント・ペブルズ」（Brilliant Pebbles）だ。

● 弾道ミサイル迎撃体「ブリリアント・ペブルズ」（Brilliant Pebbles）

　Brilliant Pebblesとは、衛星に配備される弾道ミサイル防衛用の迎撃体を指す。スイカ大のタングステン飛翔体が高速で激突することで、発射後、宇宙空間に到達した弾道ミサイルを迎撃することが目指された。弾道ミサイルから弾頭が分離される前に迎撃する点が最大の特長と言っていい。

▼**図5-20**：Brilliant Pebblesの運用構想イメージ

（出典　米国防総省の議会報告書「DoD Report to Congress: Conceptual and Burden Sharing Related to Space-Based Ballistic Missile Defense Interceptors」、1992年3月）

　これは、HGVを搭載した弾道ミサイルを、HGVが分離される前に迎撃できることを意味し、現行の弾道ミサイルシステムの欠点である、HGVの複雑な機動で迎撃が不可能とされる問題点を克服できる利点がある。

　Brilliant Pebblesは結局、完成しないままクリントン政権時代に予算が打ち切られて終了している。米国の専門家の一部にはこのBrilliant Pebblesが蓄積した知見と技術をベースにすれば、対Hypersonic防衛のための宇宙配備型インターセプターの実用化はそう難しくないという声もある。

● 宇宙配備型インターセプターの可能性

　ただ、宇宙配備型のインターセプターによってロシアや中国の本土上空で発射を探知し、目標を追尾、迎撃しようとすれば、千単位のインターセプターがLEO（低軌道）上に必要となるとの試算もある。米シンクタンクCSISのトーマス・ロバーツ（Thomas Roberts）氏の試算によれば、1012基の小型衛星をLEOに配備した場合、常時、迎撃可

能な位置にいるインターセプターは0～8基だという。中国北部は8基がカバーできる一方、南部は2～3基だという。衛星は周回しているため、ミサイルの迎撃できる最適位置に常にいられるわけではない。

実際、迎撃に動員できるインターセプターが8基程度では、中国が同時に多数のHGV搭載弾道ミサイルを発射した場合、撃ち漏らしが出てくるだろう。それも、時間によっては対応可能なインターセプターがゼロということもあり得る中での話になる。

衛星の製造コストが大幅に低下したとは言え、千単位の小型衛星の打ち上げには巨額の資金が必要となるため、コストの観点からも実現可能性は低いという批判が根強い。

ちなみにグリフィン次官は「1トンの小型衛星を1千基配備するには、1キロあたりの打ち上げコストが2万ドル弱として合計200億ドルで済む」と反論しているが、200億ドルかけても24時間、常続的な迎撃網を維持することは難しいという点をどう考えるかだろう。

● 目標探知センサーも必要

また、インターセプターがいくら高機動かつ大量配備済みであっても、接近するHypersonic目標を探知して特定するセンサーがなければ迎撃は不可能だ。

そのためには、ミサイルの発射から迎撃（あるいは弾着）までをカバーできる広範囲なセンサーネットワークが必須となる。高速で機動性を持つHGVを探知、継続追尾し、かつリアルタイムに情報共有するには、宇宙配備のセンサーを活用するのが最適だと、グリフィン次官は言う。

米軍はHBTSS（Hypersonic and Ballistic Tracking Space Sensor、極超音速・弾道ミサイル追尾用宇宙配備型センサー）と呼ばれる小型衛星のコンステレーションの構築を計画している。米軍はすでに宇宙配備型のセンサーとして早期警戒システムSBIRSを運用中だが、SBIRSは大型かつ高価な衛星を使用しており、打ち上げ後の運用期間中に技術発展があっても、宇宙における改良やシステムのアップグレードはできないのが実

情だ。それでは新規の衛星を打ち上げるまでは新技術の応用は待たなければいけなくなり、イノベーションの成果を衛星の能力に適宜、反映させることは困難になってしまう。

小型衛星を大量に使うHBTSSは、こうした難点を低減できるのが特長だ。打ち上げのコスト低下によって頻繁に衛星の打ち上げが可能となった。つまり衛星本体の更新、追加を頻繁に行うことが可能となったため、新技術を随時、応用させた小型衛星を2年ごとに打ち上げて、宇宙からの監視に最新テクノロジーを反映させていこうという試みだ。その実現のために国防総省は2019年、Space Development Agency（宇宙開発庁）を設立。225人態勢でLEO上にHypersonic Weaponを探知するセンサー網を構築するとしている。

● 情報処理と射撃管制

実際の迎撃システムには、こうしたセンサー網に加えて、センサー情報を迅速に処理、入力して迎撃ミサイルやインターセプターを発射できる情報処理能力と射撃管制能力も不可欠となる。

弾道ミサイルをHGVが分離される前に迎撃するには、探知から攻撃までの一連のプロセスを2分〜3分程度で完了させなければならない。

例えば超音速巡航ミサイルへの対処能力があるとされるロシアのS-400超長距離地対空ミサイル・システムは、目標の探知から迎撃ミサイルの発射まで10秒間で行えると、ロシア軍は主張している。その真偽は定かではないが、それだけ超高速の攻撃目標への対処はリアクションタイムが限られるということを意味している。ましてや宇宙を舞台にした弾道ミサイルの迎撃はもはや人間の対処能力を超えると言っていいだろう。そのため、Hypersonic防衛システムが実現することになれば、あらかじめ対処要領を設定したうえでAIによる自動化をはかる流れになっていくと考えられる。

探知から迎撃までを可能とするこうした迎撃システムを整備するには、巨額の予算がかかることは間違いなく、撃ち漏らしも確実にある。つまり、費用対効果で考えた時には、とても合理性があるとは言い難い。

● Left of Launch（発射前対処）という考え方

　こうした欠点を踏まえて前述のグリフィン次官は、Hypersonic Weaponに対する最も有効な防御は、移動発射台（TEL）を発射前に攻撃することだと指摘する。防御効果に限界がある以上、攻撃によって発射前に無力化する「Left of Launch」（発射前対処）の発想だ。

　現状において有効なHypersonic防衛の技術が確立していない中では、好むと好まざるとにかかわらず、中国本土の発射台を無力化することが究極的には最も確実な対抗策であるのは否定できないからだ。

　こうした文脈から見たときに、INF（中距離核戦力全廃条約）の失効以降、米国が進めようとしている東アジアへの弾道ミサイルおよび地上発射型巡航ミサイルの配備は、対中国作戦およびその日本への影響という観点から、重要なインプリケーションを含んでいると言える。

▌2025年という試練

　開発スピードを上げている中国、追い上げる米国。

　開発が急ピッチで進むHypersonic Weaponが、FOC（Full Operational Capability、完全作戦能力）をいつ迎えるのかは定かでない。しかし中露が2020年以降、IOC（Initial Operational Capability、初期作戦能力）を実現する可能性は米国内でも指摘されていることを踏まえれば、早ければ2025年以降からHypersonic Weaponが本格的に部隊配備され、実運用に耐えられるものとなる可能性は高い。

　開発を加速させる米国がそれに追いついていけば、2025年、あるいはそれ以降の2020年代後半から、本格的なHypersonic Weapon時代を迎えることになるだろう。

　その2025年以降という時代は、ちょうど前述の「懸念すべき10年」（Decade of Concerns）とも重なってくる（図2-34参照）。

　その時代は、ますます中国が自身の軍事能力の向上に自信を深める時期でもあり、更には2049年という建国の節目に向けて台湾統一という国内からの圧力が高まり、また、

国内世情が不安定化して共産党指導部が対外転嫁する政治的動機を高まらせる時期にもなる可能性がある。

　先制攻撃に有効なHypersonic Weaponの本格配備。そして対外強硬行動を招きかねない政治情勢。2025年以降、米中間の戦略的安定を揺るがす要因が過去に例がないほど揃っていく。

　その時、日本はどうするのか。日本は関連分野でどのような能力を保持しておくべきなのか、あるいは別の方向性を選ぶのか。

　今からその行方を占うことは難しいが、少なくとも米中、そしてその周りにいる日本やアジアにとって安全保障上、困難な時期が始まることだけは間違いないだろう。

6

終章

敗因分析

● AIが狙ったもの

戦いが始まったとき、それは、これまでと全く違った戦いとなった。

攻撃は冷徹なまでに合理的に、そして確実に実行されていった。

「我々が行った事後調査で判明したのは、敵のAIシステムが、紛争の勝敗を左右する人間は一体誰なのか、米軍のオペレーションを司る神経中枢の役割を果たす重要人物が誰なのか、事前に特定していたという事実です」

五星紅旗がはためく台湾が「回収」された短期高強度紛争（Short Sharp War）における米軍の敗因を究明する米議会の超党派委員会の場で、国防長官は苦渋の表情で証言を続けた。

中国のAIがターゲットとしてピックアップした重要人物は、必ずしも将軍や提督といった高位高官だけではなかった。アルゴリズムが抽出したのは、部隊の指揮官を務める佐官クラスの将校だったり、ステルス爆撃機に精密誘導爆弾を積み込む兵士であったり、指揮通信ネットワークの保守を担当している民間IT会社から派遣されている請負業者であったりした。

精緻なAIの判断をもたらしたのは、国防総省や米軍、情報機関の要員に関するビッグデータだ。公開情報もあれば、サイバー攻撃で盗んだ情報もあった。

中国がハッキングで窃取したOPM（米連邦人事局）管理の機密情報取り扱い資格者120万人の個人情報に加えて、Facebookの書き込みやアップロードされた写真からは個人の生活圏や普段の行動パターンが、Googleの検索履歴からは個人の嗜好や思想が分析された。

また、米国内の生命保険会社とクレジットカードの信用調査会社のデータベースからは、米軍人や情報機関員の本人および家族の借金歴や病歴、抱えている疾病などの金融情報、医療情報が引き出された。米政府職員がよく利用するホテルチェーンからは宿泊

情報が、アメリカ製品優先調達義務（Buy-American）条項の対象となっている米航空会社のデータベースからは出張履歴が、ランニング用の健康管理アプリからは、ジョギングだけでなく任務中の行動を示すGPS履歴が抜き出された。

　これらすべての情報は、普段からの行動パターン、米軍の行動パターンやSOP（標準作業手続き）を把握するのに有用な情報となった。同時に、家族の情報や当人の借金や疾病情報は、買収や脅迫に使われた。

▌生活を支える便利なテクノロジーが人々を襲い始めた

「台湾有事に米国が介入してくると中国が確信した瞬間、AIによる自動システムを起動させたのです。そのAI攻撃システムは米軍の動きを止めるため、世界中の米軍関係者500人を選び出して攻撃を開始したのです」

　その500人はただの500人ではなかった。米軍のあらゆるレイヤーにおいて作戦を支える神経の役割を果たしている500人であった。

「我々は戦争が始まる前、全米の電力網や浄水場が狙われることに備えていました。しかし敵が選んだのは、そうした巨大ネットワークに対する大々的なサイバー攻撃ではなく、何千マイルも離れた中国本土から『マイクロ攻撃』を仕掛けることだったのです」

　上院議員たちを前に証言を続ける国防長官。攻撃対象となった要員の身元の詳細は避けつつも、狙われたターゲットの一端を明らかにした。

　グアムや沖縄の米軍基地の兵士、国防総省で作戦計画の立案に携わる将校、そしてミズーリ州ホワイトマン空軍基地で働く米軍要員の家族、などだ。

　あらゆる個人情報がデジタル化され、デジタルデバイスを通じてリアルタイムで個人の動きを特定できる現代社会では、システムやネットワークを狙うのではなく、個人をターゲットにしたサイバー攻撃が可能になっている。それが「マイクロ攻撃」だ。

マイクロ攻撃が狙うのは、何かを物理的に破壊することではなく、個人単位にまで絞ったサイバー攻撃によって心理的効果をターゲットに与えることであった。

● マイクロ攻撃の実態

　ミズーリ州ホワイトマン空軍基地の軍人家族が狙われたケースでは、街の1ブロックの区画ごとに電力供給をダウンさせるサイバー攻撃が加えられた。

　停電となったのは、ホワイトマン空軍基地の指揮官の自宅や、同基地所在のB-2ステルス爆撃機のパイロットや整備士の自宅だった。

　B-2ステルス爆撃機は台湾有事の際に、中国本土のミサイル発射台や衛星を管制する宇宙関連施設、指揮通信ネットワークに攻撃を加える重要な任務を担う。

　対空ミサイルで厳重に守られた中国本土に、レーダーに捉えられることなく侵入して攻撃が可能な、米軍が持つ数少ない切り札の1つだ。

　向かいの家の電気は点いているのに、自分の家だけが突然、停電に見舞われる。ステルス爆撃機の運用を行う要員の家族たちには、同時に携帯電話に脅迫メッセージが送られた。真っ暗になった自宅で、脅迫メッセージが差出人不明で送られてくる恐怖。

　次に何が起こるのか。次は人が死ぬようなことを実際に仕掛けてくるのか、それとも単なる脅しなのか、得体の知れない恐怖心が隊員の家族たちを、そして家族から悲鳴にも似た連絡を受けた指揮官、パイロット、整備士たちの心をも鈍らせた。

　これまで訓練してきた能力を最大限に発揮しなければいけないこの決定的に重要な時に、恐怖心・不安という雲は、確実に彼らの能力をも鈍らせた。

● 心理戦

　サイバー攻撃によるマイクロ攻撃は心理戦として使われ、人々の意思に反する行動を強要させるのが目的であった。

　米軍兵士を米本土から前線の沖縄に輸送する民間航空会社のチャーター機の運航システムがハッキングでダウンすると、兵士と物資を運ぶチャーター機は足止めされた。

　攻撃開始の36時間前には、自動運転タクシーのシステムが侵入されていた。ワシントンDCでサービス開始となっていた自動運転タクシー4台が突然暴走する、不可解な事件

が発生。死者は出なかったものの、米軍関係者、国防総省幹部が重軽傷を負った。ある被害者は国防総省で仕事を終えて帰宅途中にハッキングで乗っ取られた暴走車に轢かれ、別の被害者は自宅にいたところ、いきなり暴走車が公道から庭を突っ切って玄関に突っ込んできたという。更に別の被害者は横断歩道を渡っている最中に2台の暴走車に挟まれた。

どうやれば米軍の動きを止められるか、鈍らせることができるか。その結節点となる人物をどう「無力化」できるのか。

台湾侵攻の際に米軍と対峙する日に備えて、サイバー攻撃で情報を盗み、組織の指揮系統や運用手順を調べ、神経となっている個人を特定し、最も効果的で効率的な攻撃方法をAIとビッグデータを使って練ってきた成果であった。

「今回、敵が突いてきた米国の脆弱性は、ネットワークでリアルタイムに個人個人がつながる、開かれた民主主義社会そのものです。だが我々は、この自由と民主主義の価値を捨てるわけにはいきません。開かれ、つながっている社会において、軍事的優位性を守ることができる良い方策を考えるしか選択肢はないのです」

このシナリオは、未来における架空の台湾有事をイメージしたものだ。米陸軍士官学校附属の現代戦争研究所に寄稿されたエッセイに、筆者が多少の肉付けをした。エッセイの著者は米海軍現役将校のジャレッド・ウィルヘルム中佐ということもあって、リアリティは抜群だ。

本書でも議論したAIが戦争に応用されると、どのような展開があり得るかをえぐったシナリオは息をのむリアリティがあり、ザラザラとした質感をともなった恐怖を覚える。

だが同時に、このシナリオではAIが戦争や攻撃方法を根本的に変えるものとしては描かれていない。あくまで膨大なデータから最大の効果が得られる攻撃方法を効率的かつ迅速に抽出する手段であり、これまで人間が手作業でやっていたものを自動化、効率化、迅速化させるに留まる。

AIは、これまでの戦いの常識を根本から変えるものというよりは、既存の方法を更に

強化し、補助する役割として描かれており、おおむね本書での問題意識とも合致する。

この違いは、先端技術の戦略的インパクトを見分けるうえで、有用な視点となる。これまでのゲームのルールや常識を根本的に変える技術はゲームチェンジャー（Game Changer）と言い、すでにある機能や能力を更に強化、促進、補助する技術はイネーブラー（Enabler）と呼ばれる。

■ ゲームチェンジャーとイネーブラー

本書で取り上げた先端技術は、いずれも大きなポテンシャルを秘めていることから、米中双方がその実用化に向けた競争を繰り広げている。

ただ、その技術のポテンシャルを判断するうえでは、ゲームチェンジャーなのかイネーブラーなのか、よく検討する必要がある。

● AIはゲームチェンジャーになるのか？

例えばAIの現状は、AIロボットが自分で考えて自律的に動くといったレベルにはまだない。軍事利用においても、既存の戦い方を迅速にしたり、意思決定を助けたりする域を出ていない。

その意味で、AI兵器の現状は、一般的に想像されるようなゲームチェンジャーではなく、イネーブラー技術の域をまだ出ていないと言える。映画の「ターミネーター」のようにAIが自分で考えて、人間の能力をも凌駕してしまう、いわゆるシンギュラリティの実現はまだ先であり、どんなに早くても2040年以降という説も根強い。

もちろん、AIが介在する無人ビークルのスワームなどは、すでに現実化しつつある。AIが戦争に応用された時、特にこれまで誰も想定したこともなかったような使われ方をされた時、どのようなインパクトを世界に与えるのか、それは果たしてGame Changingになり得るほどのものなのか、現時点で見通すことは難しい。

AIはソフトウェアであるため目に見えるものではなく、秘匿も容易だ。革命的なAI兵器の開発に成功していたとしても、外部から、それを知ることは困難だ。各国の偵察の眼

から逃れて密かにAI兵器がイネーブラーからゲームチェンジャーへと変貌を遂げていた、というシナリオもあり得る。戦争が始まって初めて、人類はAI兵器の威力を目の当たりにすることになるかもしれない。

● 今そこにある極超音速

むしろ、AIよりも「今そこにある危機」一歩手前の進展を遂げている先端技術は、極超音速兵器（Hypersonic Weapon）かもしれない。早ければ2025年には部隊配備が始まり、2030年前後には米中ともにかなりの数を保有することになっているだろう。

本書でも議論したように、その特性は攻撃側が圧倒的に優位というもので、保有国が先制攻撃の誘惑にかられかねない側面を持つ。Hypersonic Weaponは既存の超音速ミサイルを更に極超音速へと速めたものであり、既存の能力を強化した兵器という意味ではイネーブラー技術だ。

他方で、世界のどこでも15分以内に攻撃可能であり、政治指導者の暗殺や重要施設をピンポイントで破壊することもできる。核を搭載すれば、更に攻撃効果は増すだろう。技術そのものはイネーブラーであるが、使い方によってはゲームチェンジャーにもなり得る側面を持つ。

● ポテンシャルのある宇宙領域

そして、最も根本的に既存の常識やルールを変えてしまい、技術で先行すれば莫大な利益をもたらすポテンシャルを秘めているのが、宇宙領域だ。

宇宙の領域、とりわけ本書で言うところのブルーウォーター（Blue Water）の分野や、シスルナ（Cislunar）といった月と地球の間の宇宙空間などの領域は、既存の概念を根本的に変えてしまう可能性を秘める、ある意味、恐ろしい領域だと言える。

これまでの宇宙利用は、地表での活動を支援する「地球のための宇宙利用」だった。しかし、惑星探査や月面基地などが実現すれば、地球から独立した独自の領域や経済圏が新たに誕生する可能性があり（まさに宇宙コロニーに住む宇宙移民の世界）、「宇宙のための宇宙利用」が実現することになるかもしれない。

そこに新たなビジネスや資源獲得による国益の増進の可能性を見出して、政府だけで

なく民間企業も宇宙市場に参入を図っている。ただし、人が進出し、そこに利益が生まれれば、当然、争いが起きる可能性もあり、宇宙安全保障という新たな領域も誕生するかもしれない。

また、本書で短く触れた宇宙太陽光発電と、ビームによる地表への送電が実現すれば、エネルギー供給の革命となるだけでなく、地表をいつでも宇宙からポンポイントでビーム攻撃できる究極の宇宙兵器になる可能性も否定できない。

そのような兵器を獲得すれば、小国であっても大国に対抗できるようになり、大国と同等の影響力を行使できるようになるかもしれない。そうした究極の宇宙兵器とエネルギー供給が登場すれば、国力はこれまでのように人口や経済力の大小や核戦力保有の有無によって規定されなくなり、「パワー」の概念が根本的に変わることになる。まさにゲームチェンジャーであり、宇宙領域における技術革新が秘める潜在力は、計り知れないと言っていい。

このGame Changingになり得るポテンシャルを考えれば、どんなに少子高齢化や低成長により予算が制約されようとも、宇宙領域における競争から降りるという選択肢は、国家としてあり得ないと言っていいだろう。

▌戦略的奇襲と技術的奇襲

先端技術がGame Changingに変貌した時、何が起こるか。

そこには奇襲効果が生まれる。

隠密裏に開発が進められた先進AI兵器が実戦に投入され、初めてその効果が明らかになった時、攻撃を受けた側、そしてそれを目撃した世界は、技術によって既成概念が覆される瞬間を目の当たりにする。それが技術的奇襲（Technological Surprise）だ。

他方で、宇宙太陽光発電を実用化し、資源がない小国がエネルギー自給を達成して生産活動を活発化させると共に、宇宙配備レーザーによって核抑止力に匹敵する抑止力を手に入れた時、戦略レベルの革命的な変動を引き起こすことになる。技術が予想もしなかった戦略的なインパクトをもたらす。それが戦略的奇襲（Strategic Surprise）だ。

　どちらの奇襲も、起こす側ではなく起こされる側になれば、挽回不可能な劣勢に立たされることになり、場合によっては保有国の支配下に入らざるを得ないことにもなりかねない。実は、こうした事態はすでに現実のものになっている。GoogleやFacebookが圧倒的な市場支配をする中、我々の日々の生活は米国の技術の支配下にあると言っても過言ではない。仮にそうした圧倒的な技術による「市場占有」や「支配」が敵対的行為に利用された時、あるいは人々が気づかないうちに敵対的に利用された時、どうなるだろうか。

● 奇襲の回避

　そうした戦略的、技術的な奇襲を回避すべく、世界各国は情報機関を使って情報収集を行い、技術の開発に血道を上げる。

　とりわけ米国は、奇襲の回避にこだわるだけでなく、技術によって自らが戦略的奇襲を仕掛けられる立場でいられるよう、技術的優位性を保持しておこうとする執念が凄まじい。

　技術で追い上げる中国との戦略競争を、さらなる技術開発で迎え撃つ様は、「問題は必ず解決できる。その手段は技術なのだ」という、ある種の技術信仰のようなものを感じさせる。

　米国の凄さは、それだけではない。10年以上にわたる中国のサイバー攻撃による知的財産の侵害、技術の窃取による巨額の損害の末に、中国との競争を決意した米国だが、その対応の遅さは「ようやく」と言ってもいい。

　だが、ひとたび決意したあとの動きは柔軟で、徹底している。「Moon Shot」と言われる、画期的なブレイクスルーを狙った野心的な研究開発を進める一方で、SM-6ミサイルのように、既存の技術を少し改良することで、大きな能力向上を実現させたりもする。

　挑戦的な新規開発は長期間を要し、開発リスクもある。このため、迅速に配備可能で、当面の能力ギャップを手当てできる兵器をありあわせの技術でひねり出してしまう柔軟な発想、目的合理性、そうした取り組みをサポートする政治任用クラスの幹部のリーダーシップは、称賛に値する。

● 技術への執念を示す数字

　技術で課題を解決する――。そんな米国の技術信仰、技術への執念、そして技術を媒介に繰り広げられる米中戦略競争の実態は、具体的な数字が示している。

米国が2018年だけで研究開発に投じた予算は、政府の予算が1300億ドル、民間企業が3600億ドル余り、学術分野のものが200億ドルで官民合わせて合計5100億ドル、日本円で実に60兆円にのぼる。

　図6-1のグラフを見ると、「イノベーションや技術が富をもたらす」「技術優位が戦略的優位を決める」という信念を持っているのは、どうやら米国だけではないようだ。

　近年は中国の研究開発予算が急激な伸びを示していて、民間企業の予算額では米国を追い越し、合計額でも米国に迫る勢いを見せている。

▼**図6-1**：中国とアメリカにおける研究開発費用（2000年〜2017年）

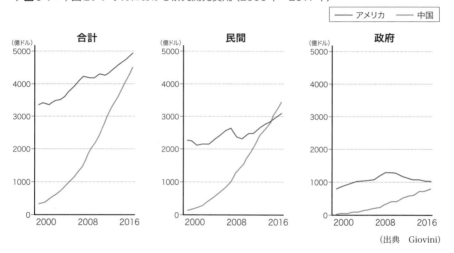

（出典　Giovini）

見せる技術、隠す技術

　米中両国とも、虎の子の先端技術や新兵器は、心理的効果を狙ってあえて見せる技術と、実戦までは隠す技術とに使い分けている。

● ブラックプログラム

　米軍は、ブラックプログラム（Black Program）と呼ばれる非公開の秘密研究開発プログラムを多数、持っている。2021会計年度だけで、空軍が研究開発予算373億ドルのうち157億ドル、海軍では17億ドルが計上されている。宇宙関連はこれとは別に、103億ドルの研究開発予算があり、このうち36億ドルが秘密研究開発プログラムとなっている。

このほかにも、情報機関に割り当てられる分があるなど、秘密プログラムの全容は明らかになっていないため、この金額は一部に過ぎない。

　秘密研究開発プログラムの詳細は明らかではないが、開発テーマだけは公開されている。もっとも大きい予算額は、現在開発中の次期ステルス爆撃機B-21の28億ドルだ。このほか、本書でも取り上げたレーザー兵器、Hypersonic Weaponのプロトタイプ開発、次期戦闘機用エンジンといった項目が並んでいるが、その具体的な中身は非公開だ。

　注目すべきは、空軍の秘密研究開発プログラム予算が海軍のそれより一桁多く、群を抜いていること、そして空軍全体の研究開発費の実に4割近くに及んでいる点だろう。

　これは推測になるが、おそらく空軍が取り扱う空の領域における兵器は、陸上や海上、海中よりも地形的な障壁要因が少なく、兵器の性能そのものの最大化をその分、確保する必要が多くなり、そのため、それへの投資が大きくなる傾向があるからだと筆者は考える。

　地形を利用して隠れたりして兵器の攻撃効果を低減させることは、陸上や海中、場合によっては海上では可能だが、遮るものも隠れる場所もない空では（空気抵抗や太陽光の影響はあるが）、攻撃効果は兵器の性能によって直接的に決まると言っていい。そのため、より性能の高度化が目指されることで開発予算も高額化し、秘匿の必要性も高いのだと推測される。

　いずれにしても、米中戦略競争では技術開発のキャッチアップが激しく、相手国による追い上げを防止するためにも、新技術や新兵器はできる限り秘匿され、実戦で使用されるまで、その能力が明らかになることはないだろう。

● 見せることの抑止効果

　一方で、相手に武力行使を思いとどまらせる抑止効果を狙って、あえて新技術を公開することもある。

　米軍は当初、1970年代から本格開発がされていたステルス技術を公開するつもりはなかった。しかし、1980年代後半になるとステルス攻撃機の存在が徐々に漏れる事態となったこともあって、1990年に初のステルス機であるF-117の公開に踏み切っている。

▼**図6-2**：1990年に初公開された際のF-117ステルス攻撃機

（出典　米空軍）

　中国も軍事パレードなどを通じて新兵器を公開している。対艦弾道ミサイルDF-26や巡航ミサイルDF-100の公開は、国内の士気の高揚とともに、対外的な示威という狙いがあるだろう。

　ただし、習近平国家主席が秘密兵器開発の守秘を命令したとの一部報道も過去にあることから、同時に秘密研究の情報保全も進めていることが窺える。中国も米国と同様、抑止効果、示威効果を狙った新兵器の公開と、実戦に備えた技術の秘匿を使い分けていると見られる。

▌先端技術が問う国家の意思

　米中が繰り広げる先端技術を巡る戦略競争は、我々に何を問いかけているのだろうか。

　先端技術の発達と軍事への応用は、攻撃側から見れば攻撃手段がより先鋭化される一方で、攻撃を仕掛けられた側が反攻しようとする場合、作戦目標や戦略目標の達成コストは確実に上がることになる。先端技術の兵器で武装した敵が相手の場合、端的に言えば、これまでと比べて同じことをやろうとしても、より多くの犠牲を伴うことになる。人的、経済的、時間的コストをより強いるのである。

● **宇宙ドメインの例**

戦闘領域となった宇宙ドメインは、その典型だ。これまでの宇宙空間は誰にも妨害されず、安全に利用できる領域だった。しかし、宇宙関連兵器の発達によって、米軍のグローバル展開を可能にしている衛星が機能しなくなる局面も考えられるようになってきた。

もちろん宇宙アセットが無力化されたとしても（しかも決して簡単にできることではない）、米軍が、各アセットが持つオンボードセンサーや非宇宙関連のセンサーおよびネットワークを使って作戦を遂行することは、不可能ではない。

ただし、衛星を利用できるケースと比べて、より長期間を要するし、効率は大幅に低下し、必要となる兵器や時間、そして死傷者が増加する。つまり、作戦達成のコストは格段に増えることになるだろう。

● **犠牲を払っても守りたいもの**

そこで問われるのは、そうした多大な犠牲をこれまで以上に払ってでも、守りたい利益があるかどうかだ。

先端技術の発達に伴うミッション達成のコスト増加は、「国家として何がしたいのか。犠牲を払ってでも何を達成したいのか」という根源的な問いかけを突き付けているのである。

台湾有事の例で考えれば、米国はこれまでよりも安全かつ効率的な作戦にならなくても、台湾を救援したいと考えるのか、中国の動きを抑え込みたいと考えるのか。

まさに台湾有事に関与する国益とは何か。どのような原則に立脚するのか。簡単に言えば「何がしたいのか」という国家としての意思が問われることになる。

では米国は、将来も何かの利益、原則のために血を流すのだろうか。

米国の国家的意思を探るヒントを提供してくれる場所が、ワシントンDC近郊にある。

ワシントンDCからポトマック川の対岸に広がるアーリントン墓地。

そこには、米国が戦った戦争で自らの命を捧げた兵士たちが眠っている。毎年12月になると、遺族や退役軍人や家族連れなど、軍を支援するおよそ5万人が集まる。中には小さな子供の姿もあり、大半がごく普通の米国人だ。彼らは寒風が吹く中、ボランティアとして24万8千もの戦士の墓に一つひとつ、クリスマス用の花を飾っていく。

▼図6-3：アーリントン墓地

（出典　米国防総省）

　米国全土から集まったごく普通の人たちが丁寧に花を供えていく姿は、過去の犠牲を敬う国家としての姿勢を感じさせる。そうした過去への敬意は、同時に、今後また支払われるであろう将来の犠牲への覚悟なのではないか。筆者にはそう感じられた。

▼図6-4：ボランティアに集まった人々

（出典　米国防総省）

　技術と意思を整える米国。それに対して中国はどうか。技術の蓄えでは米国を凌駕する面もあるが、戦うための国家意思は醸成されているのだろうか。

ゼロサム戦略競争

　今、米中両国は、技術革新を媒介にして戦略競争を繰り広げている。それは、技術が経済と安全保障を規定する時代の幕開けを意味する。その競争では、先端技術を最大限にレバレッジ化しながら目的合理性にどこまで徹することができるかが、問われる。

　中国は、専制国家特有の全体最適、目的合理性を最大限発揮させながら、先端技術を経済、軍事両面における利益に変換して戦略的地位を高めつつある。

　対する米国は、超党派かつ政府の各機関を挙げた「Whole of Government」アプローチで、中国の挑戦に対応しようとしている。

　両者を後押しするのは、異なるシステムと価値観を持つ相手が先行することになれば、利益の大半を独占し、軍事的優位をも手にするかもしれない、しかしそれを許してはならないというゼロサムの世界観だ。

　そこでイメージされるのは、圧倒的な市場シェアと、それがもたらす資本力。防御側に対抗手段を許さない攻撃側優位の最新兵器。それらを背景に意思を強要されてしまうかもしれない、厳しい世界だ。

　残念ながら、そんな厳しい世界が絵空事だと否定できない兆候はすでに出ている。

● 競争連続体

　返済に窮した途上国のインフラ使用権を獲得する「債務の罠」や、パワーを背景に実現させた南シナ海の7つの人工島の埋め立てと軍事拠点化などは、パワーを背景にした意思の強要がこの世界ですでに横行していることを示している。

　米統合参謀本部は、こうした中国との競争関係が続く環境を「協力や武力衝突には至らない中で、競争や武力衝突が入り混じる競争が永続的に続く世界」として「競争連続体」（Competition Continuum）だと表現している。

　そうした競争環境においては、戦略目標の達成のために軍事、外交、経済、情報といった手段の組み合わせが使われる、ギリギリ武力衝突に至らないレベルまでコントロールされた競争が長期間、繰り広げられていくとしている。

米統合参謀本部が描く競争環境では、軍事や外交といった手段だけでなく経済や情報といったあらゆる国家的手段を総合的に組み合わせた競争が、戦争一歩手前のギリギリの緊張の中で、延々と続いていくことになる。

まさに本書が取り上げた先端技術を媒介にした米中戦略競争も、それに当てはまる。目的達成のためには戦争にならない程度にまで緊張を高めることを厭わないリスクテイキング、目標達成のためには手段を択ばない目的合理性、持ち得るあらゆる手段を動員し、国家全体が関与する「Whole of Government」（政府を挙げたアプローチ）が取られる。

そこでは、長期間続く競争に耐え得る国家としての意思、相手が繰り出す戦争一歩手前の駆け引きにも応じる胆力、何が利益であり、何を何から守るのかという明確な目的意識が厳しく問われる。そういう競争や環境が、もうすでに始まっている。

● 日本の理解は？

日本は、こうした米中が繰り広げる厳しい競争と、そこで繰り広げられる冷徹なロジックやアプローチを、どこまで理解できているだろうか。

おそらく、技術競争という縦軸に、システムの異質性という横軸が交差する、国益を巡る戦略競争こそ、もっとも日本人が苦手とする分野かもしれない。それは、だからこそ本書を世に送り出そうと筆者が考えた理由の1つでもある。

これまでの日本の安全保障論は、精緻な法的整合性を要求する法律論や、現実と乖離したイデオロギーによる「反対のための反対」、あるいは議論のための材料が提供されない「賛成ありき」の議論が支配してきた。

だが、目的合理性をリアリスティックかつ徹底的に追求する米中戦略競争は、こうした日本流の議論が介在する余地を許さないだろう。

▌日本は何がしたいのか、そのためには何をしていくのか

戦略競争の時代において日本の安全、日本企業の成長、日本人の生活の向上をどう確かなものにしていくのか。

それには、戦略的利益をもたらしてくれる先端技術とは何かを見極め、それを戦略的に伸ばしていく目的合理性に徹し、それを通じて利益を着実に取っていくリアリスティックなアプローチをより一層、意識する必要があるだろう。

そこで問われるのは、日本は何がしたいのか、だ。

● 戦略目標は何か？

日本はどのような状況を作りたいのか？　どういう状況が望ましいのか、という戦略目標のイメージをまず持たなければ、その実現のためにどのような技術や能力が必要になるのかは見えてこない。

次いで、所与の条件にとらわれず、戦略目標の達成にはどのような能力が必要になるのかの検討が必要だろう。

日本人は紙と鉛筆を与えられると、その2つで何が書けるかに知恵を絞りがちだが、米国人はその紙を折ったり、立体にしてみたり、ほかの紙と組み合わせてみたり、色鉛筆を使ってみたりする。

先端技術についても同様で、米国は既存の技術同士を組み合わせたり、少しの改良を加えてまったく新しい使い方ができる能力を獲得したりすることが得意だ。それでいて、あっと驚くような画期的な技術という大穴もひそかに狙っている。

他方で、日本での技術開発の議論を見ていると、すでに存在している技術を伸ばすことが中心となりがちであり、その技術を目標達成のための手段としてどう使うかという議論は、あまり聞かれない。

また、先端技術を活用することよりも、それを持っていること自体が目的化してしまう傾向がある。

● 技術は戦略と結びつける

そうではなく、つまり、既存の技術を伸ばすという枠組みにとらわれるのではなく、自分のやりたいことを達成できる技術は何かを特定したうえで、その獲得は既存技術の改良や組み合わせで実現できるのか、存在しないのであればゼロから開発するのか。それは単独での開発なのか、外国との共同開発になるのか、といった棚卸作業に進むべきだろう。

戦略目標の達成手段としての技術を特定していくプロセスには、理系の技術的知見だけでなく、技術を戦略と結び付けて発想する文系の視点も必須となる。

先端技術が民生、軍事どちらにも利用可能なデュアルユースであることを考慮すれ

ば、民生技術が持つ軍事的インプリケーションを抽出する作業も欠かせない。

その時に必要となるのは「こういう使い方をしてきた技術だが、実はこうも使えるのではないか」という、既成概念を取り払う発想だ。

そうした柔軟で新しい発想は、技術と戦略の領域を立体的につなげ、安全保障と経済の両領域をも横断することで可能となる。

● 日本流リアリズム

それには文理融合、文理横断な態勢作りが必要であり、公的部門だけでなく民間部門の人材活用も視野に入れるべきだろう。

こうした戦略目標達成のための先端技術の特定と研究開発という、目的合理性に徹する官民、文理を融合させた「オールジャパン」の態勢は、いわば「日本流リアリズム」という新しい風を日本の安全保障論議に吹き込んでくれるかもしれない。

「日本流のリアリズム」と言うからには、組織作りだけでは不十分だ。どんなに素晴らしい人材が揃っていて的確な分析や報告、提案を上げても、それを受け止める指導層の判断力が曇っていては意味がない。

だが日本の組織においては、長期的な視点からの投資や人材への投資などといった「見えないもの」への投資よりも、短期的に成果が出やすい「見えるもの」への投資が優先されがちだ。

その典型例は、ミッドキャリアやシニアレベルでの教育や研修の機会の少なさに見られる。政界でも企業でも、大学を卒業して社会人になった直後の時期には様々な研修や海外留学の機会はある。しかし、その後、40代や50代といった働き盛り、あるいはシニアの指導層入り前の重要な時期に、体系だった教育を受ける機会は少ない。

となると、大半のシニアのメネージメント層は四半世紀ほど前の留学や研修、下手をすれば学部時代の知識と経験、その後の業界内での狭い見識だけで、組織や国家の行く末を左右する高度な判断を下していることになる。

これでは、体系だった知識と理論に基づくロジカルな判断や、最新のテクノロジーが持つインプリケーションを踏まえた政治判断や経営判断など、おぼつかないだろう。いく

ら優秀な人材を集めた組織を作ったとしても、そこからのインプットを理解、咀嚼して資源配分の判断に生かせるだろうか。

ミッドキャリアでの「学び直し」がなければ、業界や業務での狭い経験と勘が幅を利かせる、下手をすればその場の空気を支配する声の大きな人間の判断だけが優先されることになりかねない。

● 米海軍の学び直し

米海軍は、将来の海軍を背負うリーダー層が曇った眼で高度な判断をしないよう、意思決定論やリーダーシップ論の教育を、将来の提督になるエリート幹部たちに施している。

メイン州ニューポートにある米海軍大学の「倫理とプロフェッショナリズムのリーダーシップ」(Leadership in Profession of Arms) と呼ばれるコースでは、複雑で不確かな状況の中でもできるだけ的確な決断を下せるよう、いかに自身が持つバイアスや経験が判断を左右し、時には誤らせるかを学ぶ。

コースのシラバスを見ると、自身の性格がいかに判断に影響を及ぼしているか、見たいものしか見ないことが、いかに判断を誤らせるか、いかに組織文化が意思決定に影響するかといった、実践的で論理的な課題が並んでいる。

科学や技術で問題を解決し、その成果を実践面で具体的に活かそうとする、いかにもアメリカらしいプラグマティズムだと言えよう。

● 戦略競争環境を生き抜くために

こうしたリーダーシップ論や意思決定論、批判的思考法を体系的に学ぶミッドキャリア教育は確実に日本のリーダーシップとマネージメントを強くしてくれるだろう。

文理融合、官民横断のチーム。そして指導層の判断力を更に高度化するための「学び直し」。これが「日本流のリアリズム」の出発となる。

そしてこの「日本流リアリズム」が、これまでの法律論、イデオロギー論に支配されてきた安全保障論を超えて、戦略競争環境を日本が生き抜いていくにはどうしたらいいのかを現実的に議論できる土壌になってくれることを期待する。

本書が、そうした「日本流リアリズム」の胎動に向けた、ささやかな一歩になればと願う。

おわりに (謝辞)

　本書を世に送り出すことができたことに対し、まず所属先のテレビ朝日の先輩、同僚、後輩たちに感謝したい。特に篠塚浩常務取締役からは赴任のチャンスを、藤ノ木正哉専務取締役には11年前に防衛大学校の大学院への社費留学のチャンスをいただいた。秘かに尊敬する、この2人の上司がいなければ今の私はないだろう。

　かつて学生時代に読んだ本で、ある著名なジャーナリストが「上司のちょっとした一言や後押しが、若い部下の人生を変える。だから、自分が上司になったときは部下の活躍を応援するように心がけている」ということを記していた。

　まさに、これまでの会社人生の節目でチャレンジの機会をくれた先輩たちを思う時、学生時代に読んだ本のこの一節を思い出す。次は自分が若き後輩たちのチャレンジを応援することが恩返しになると思っている。

　そして数々の尊敬する研究者や実務者たちとの交流や議論、何気ない会話が、私に影響を与え、米中関係を考えるきっかけ、そしてモチベーションになっている。

　防衛大学校の恩師である武田康裕教授には、修士課程在学中に物事を抽象化して思考する大切さ、戦略的なインプリケーションを考えることを教えられた。仕事をしながら修士論文を書いていた在学中、帰宅した夜中から論文を書き始め、武田先生に出来上がった分をメールすると、1時間もしないうちに添削で真っ赤になった原稿が返送されてきた。それにまた修正を加える、というやり取りを未明にかけて何往復もするなど、親身に指導していただいたことを今でも思い出す。何よりも、どんなにつらくても諦めずに最後まで考え抜くことを学んだ。

　慶應義塾大学の神保謙教授には、抑止論から政策決定過程論、戦略論、そしてテクノロジーまでカバーする幅広い能力にいつも圧倒されると共に、縦にも横にも分析のウイングを広げる活躍ぶりは遥か彼方にある私の目標の1つだ。

　同じく慶應義塾大学の土屋大洋教授と中山俊宏教授からは、ワシントンでの議論を通じて知的刺激をたくさんいただき、執筆へのパワーとさせていただいた。

　米国防政策の大家である法政大学の森聡教授からは、米中関係の論考からいつも学ばせてもらっている。初めて論文に触れた際、「なぜ東京にいながら、ワシントンの政策動向をここまで詳細に押さえられるのだろう」と、その詳細かつ精緻な分析に衝撃を受けたことを思い出す。

　日本を代表する米中関係の専門家である東京大学の佐橋亮准教授には、様々な勉強会や研究会に誘っていただいた。8年前にもらった「論文とは主張するもの」という言葉に勇気づけられ、それは今でも私の執筆へのドライビングフォースになっている。

　また、友人である海上自衛隊の後潟桂太郎博士の著書『海洋戦略論』にも、多くの知的刺激を受けた。陸上自衛隊の池上隆蔵2佐、航空自衛隊の佐久間一修博士も加え、また恵比寿で語らい、再び防衛学会でパネルディスカッションを組んでみたい。

　「学友」であり「大学院の先輩」にあたる海上自衛隊の北川敬三博士、衝撃的な初対面だった石原敬浩2佐からは、いつもポジティブな知的エネルギーをもらっている。米海軍大学留学を終えた海上自衛隊の小林卓雄1佐も、いつも卓越した示唆をくれている。私を掛値なしの海上自衛隊ファンにさせた原点は、海上自衛隊が抱える、こうした「規格外」の方々との10年間、15年間を超える交流にある。

　すべての方の氏名を挙げることはできないが、本書はワシントンでの知的議論の仲間たちとの対話なくして完成することはなかった。ワシントンで武者修行中のハドソン研究所の村野将研究員、ジョージ・ワシントン大学での留学を終えた航空自衛隊の佐藤太郎2佐、スティムソン・センターで研究をしていた海上自衛隊の佐藤善光3佐、CSIS日本部に在籍していた丸紅の平野博彦氏には特に感謝したい。本書は間違いなく、時には研究会形式で、時には飲み会形式で年齢や所属を超えて長時間の議論を交わし、原稿にコメントをくれた仲間たちとの共同作業の成果だと言える。

　双日アメリカ副社長の吉田正紀元海将には、このような仲間との出会いのきっかけをいただいた。感謝の言葉を申し上げたい。

　また、在アメリカ日本大使館の嶋崎政一科学参事官、JAXAワシントン事務所の梅田耕太所長代理、米国三菱重工の櫻井啓司副社長、JAXA国際宇宙探査センターの佐藤直樹氏からも、専門的見地からアドバイスをいただき、専門用語の間違いや誤認を正して

いただいた。暗中模索の中、こうした日本を代表する専門家の方々との出会いが執筆の支えになった。

このほかにも、引用することも名前を記すことも叶わない米国防総省、米国務省、日米の情報機関、米国防産業、DARPAの関係者、そして今でも所属を教えてくれない外国政府機関の関係者の方々からのサポートがあった。アーリントンのアイリッシュパブで、国防総省のTaco Bellで、ジョージタウンの餃子屋で、筆者のマニアックな疑問に耳を傾けてくれ、時にはヒントを与えてくれる、Security Clearanceの世界で生きる人々のサポートなくして、本書の方向性が定まることはなかった。

本書の執筆は、本業が多忙を極めたこともあって図らずも4年越しとなってしまった。辛抱強く原稿を待っていただいた編集担当の平野孝幸第2編集局長と、秀和システムの上田智一会長にはお礼だけでなく、お詫びもしなければならない。

最後に、本書の執筆は本業であるテレビ報道の激務のかたわら進められた。当然、しわ寄せは家庭に及び、異国の地で2人の娘を育てる妻には大きな負担をかけてしまった。処女作の『米軍と人民解放軍』も、2作目となった本書も、妻と2人の娘たちが幸せに暮らせる日本の繁栄をどう守っていけるのか、という思いから書き上げたものだ。3人のこれからの幸せに本書が少しでも貢献できることを願っている。

2020年5月

布施　哲

索引

著者紹介

布施　哲 （ふせ　さとる）

テレビ朝日ワシントン支局長。

1997年、上智大学法学部卒業後、テレビ朝日入社。政治部記者として与党キャップ、野党キャップなどを経て、「報道ステーション」で主に米国政治や安全保障関連のVTRを担当。

この間、防衛大学校総合安全保障研究科卒業(安全保障学修士、山崎学生奨励賞)、フルブライト奨学生として米CSBA(戦略予算評価センター)、ジョージタウン大学で客員フェロー、安倍ジャーナリスト・フェローとしてジョージ・ワシントン大学にて客員フェローを経験。

単著に『米軍と人民解放軍』(講談社現代新書、2014年)。主な学術論文に「対中アクセス拒否戦略」(国際安全保障学会最優秀新人論文賞)、「予算面から見る『国家安全保障戦略』の実効性」、「南シナ海問題の軍事的側面と戦略的意味」、「米外交政策決定過程における台湾ロビー」など。

主な関心テーマは、軍事、テクノロジー、インテリジェンス、ロビー活動の観点から見る米中関係、宇宙における安全保障、日米安保、サイバーなど先端技術が安全保障に及ぼす影響など。

図版作成　神林　光二 / ブルーインク
カバー　　tobufune

先端技術と米中戦略競争
宇宙、AI、極超音速兵器が変える戦い方

発行日　2020年 6月29日　　　　　第1版第1刷

著　者　布施 哲

発行者　斉藤　和邦
発行所　株式会社　秀和システム
　　　　〒135-0016
　　　　東京都江東区東陽2-4-2　新宮ビル2F
　　　　Tel 03-6264-3105（販売）　　Fax 03-6264-3094
印刷所　三松堂印刷株式会社

©2020 Satoru Fuse　　　　　　　　　　Printed in Japan
ISBN978-4-7980-6224-2 C0031